P9-CMF-325

Heath's Modern Language Series

LA QUESTION D'ARGENT

COMÉDIE EN CINQ ACTES

PAR ALEXANDRE DUMAS FILS

EDITED WITH INTRODUCTION, NOTES, AND VOCABULARY

BY

GEORGE N. HENNING

HEAD PROFESSOR OF ROMANCE LANGUAGES, GEORGE WASHINGTON UNIVERSITY

D. C. HEATH & CO., PUBLISHERS

BOSTON NEW YORK CHICAGO

2 E 2

Printed in U. S. A.

PREFACE

A. Dumas fils is an author whose works are comparatively little read and who is generally misunderstood on this side of the Atlantic. The work here edited, *la Question d'argent*, is offered as a good example of the author's dramatic genius, while the Introduction tries to make clear the deep convictions and lofty motives which inspired Dumas.

La Question d'argent is the most suitable of all Dumas' plays for use as a text-book, being free from features that might be regarded as objectionable. In view of school-use, a few short passages, — not more than four or five lines in all, — have been cut out, and one line slightly changed. A few obvious misprints in the Paris edition have been corrected here.

In the preparation of this edition, I have been greatly assisted by Dr. P. B. Marcou, of Harvard University, to whom many of the notes are due. Thanks are also due to Mr. V. E. François, of the University of Michigan, who kindly read the first proof-sheets.

G. N. H.

CAMBRIDGE, October 8, 1898.

INTRODUCTION.

ALEXANDRE DUMAS fils,[1] son of the celebrated romancer, was born in 1824; he died in 1895. In his three-score years and ten, most of them years of hard work and earnest endeavor, he wrote much and he aimed at many things.

Dumas was a natural son, a fact that influenced his whole life and directed his life-work. "Born of an error, I had errors to fight against," he wrote.[2] As a child, smarting from the taunts of his school-mates and burning with a sense of injustice, he asked himself why he should suffer for the faults of his parents. In his enforced loneliness, he observed and thought, training himself unconsciously for his future work. After an imperfect schooling, he went the rounds of dissipation with his father. Soon wearying of this existence, he afterwards led a simple and serious life. It was from his disgust with these scenes of Parisian dissipation that sprang his resolve to combat vice, a resolve that took definite form in his ethical plays.

In Dumas' writings, the dramatist and the moralist are equally noteworthy. Dumas had no belief in the doctrine of

1 Principal works: *la Dame aux camélias*, 1852; *le Demi-Monde*, 1855; *la Question d'argent*, 1857; *le Fils naturel*, 1858; *un Père prodigue*, 1859; *l'Ami des femmes*, 1864; *une Visite de noces*, 1871; *la Princesse Georges*, 1871; *la Femme de Claude*, 1873; *l'Étrangère*, 1876; *Denise*, 1885; *Francillon*, 1887. Elected a member of the Académie française in 1874.

2 A M. Cuvillier-Fleury; *la Femme de Claude*.

"art for art's sake"; he proclaimed that the literature which was not a means to an end, which did not have in view the ideal and the useful, was "sickly, dead-born."[1] Dumas lived up to his theory, and in carrying it out he was bold and sincere. Bold, for he brought on the stage subjects that other dramatists would scarcely dare touch, and treated them with almost brutal frankness. Sincere, too, — in spite of accusations of immorality and prohibitions of his early plays by the censure, — for his whole life showed that he was inspired by the resolution to tell the truth and by the desire to serve his country. A man with a mission, a man of strong will, he followed out his object with unbending logic.

The topic that Dumas chose for the dominant interest of his plays is love, a topic equally fruitful to dramatist and moralist. In Dumas' treatment of love the moralist is the more prominent. He was less concerned with the beauty of love, or its interest, than with its consequences. With the conception of love as "a natural force, that may be directed and utilized,"[2] his great concern was that it should be directed into paths useful to society. "Unlawful love bears but bitter fruit,"[3] is the text of most of his plays, a text exemplified by ruined lives, the wreck of families, and avenging death. Even lawful love he came to regard with suspicion, as monopolizing too much of man's attention and energy, as a deceptive illusion of happiness, leading to bitter unhappiness. Woman, he thought, should be at most man's helpmate, not his tyrant. He looked on woman with a mixture of rather contemptuous pity and of dread. Pitying her on account of her weakness and of the injustice that she suffers from the law, he yet

1 *Préface du Fils naturel.* 2 *A propos de la Dame aux camélias.*
3 *Diane de Lys*, Acte 4, Sc. 7.

dreaded her on account of her fascination, her undue power over man. His description of women, — "those charming and terrible little beings, for whom men ruin and dishonor and kill themselves," [1] summarizes his later opinion.

The second guiding principle of Dumas' drama, besides love, is law. Not content, as a moralist, merely to analyze love, he wished to utilize the results of his analysis; he wished to cure, as well as to probe, the wounds of society. He therefore gave much attention to legal means of attaining his ends. The great object for which he worked was the strengthening of the state through the rehabilitation of the family. The fuller protection of woman by the law, the protection of husband or wife against an unworthy partner by a divorce-law, the compulsory recognition and maintenance of natural children by their fathers, — such were some of the means that he proposed. Divorce was reëstablished in France in 1883; in his other objects Dumas failed.

Constantly occupied as he was with the study of social evils, Dumas moved in a somewhat morbid and unwholesome atmosphere. In his works, as in those of so many of his contemporaries, there is evident a growing hopelessness, an ever-darker pessimism, accentuated in his case by distress at the national humiliation of France in 1870, and by his failure to secure reforms that he thought just and necessary.

In his ethical work, especially after 1870, Dumas had recourse to two great principles, religion and science. Dumas accepted no particular dogma, even being buried without religious ceremony. But he adopted the broad Christian principle of charity, which took form, in his life, in many unostentatious acts of generosity, and, in his plays, in the preaching of

1 *L'Ami des femmes.*

forgiveness of the erring, or at least forgiveness up to a certain point. Religious sentiment in general, with Dumas, did not crystallize into definite creed or broad-based philosophic doctrine, but was diffused in vague mysticism. Born and brought up in the hot-house atmosphere of modern Paris, himself Parisian to the core, Dumas yet had within him principles that led him to turn from his intellectual and logical pessimism, begotten of hard experience and much brooding, to aspirations for a better world, to faith in the good. The transition from crude realism to mysticism is reflected in his successive plays. Science, in Dumas' mind, was not the antagonist of religion, but its handmaiden. He sought a scientific base for his mystical doctrines. His scientific knowledge, however, was imperfect and superficial, and in his latest works he gave up scientific pretensions.

How did it happen that Dumas, with his moralizing temperament, was a dramatist, rather than a professedly ethical or religious writer? That he was essentially a dramatist is obvious, his essays in other branches of literature being comparatively unimportant; that he was a master of his chosen art is clear from the brilliant success of his works and from his commanding position among modern French playwrights. Dumas was a dramatist, first, by instinct, being born with the peculiar faculty that enables a writer to treat a subject in the manner necessary for the stage. "You may become a painter or a sculptor or even a musician, by dint of study," he wrote, "you cannot become a dramatic author. You are a dramatist immediately or never." [1] Dumas was one immediately, for his first play, *la Dame aux camélias*, won great success. Dumas even believed that a dramatist, as such, gained nothing by

[1] *Préface d'un Père prodigue.*

length of experience; that as the dramatist advanced in age his plays indeed gained in subtlety of analysis of the human heart, but at the expense of dramatic movement and life. Dumas was a dramatist, secondly, not only in spite of being a moralist, but because he was a moralist. Writing and action were synonymous with him. He chose the theater as the most powerful literary means of direct action on public opinion. He went so far as to declare the theater equal in power and dignity to the visible church, inferior only to religion itself, and prophesied that unless the theater occupied itself with great social reforms the drama would become but tinsel and spangles, the stage would be given over to mountebanks.

Yet, earnestly as Dumas advocated an ethical drama, skilfully as he exemplified it, the requirements of the moralist and those of the dramatist evidently clash. The essence of moralizing is expounding, emphasizing, repeating. The essence of the drama is color, movement, life. To quote Dumas' own words, the action must be so rapid that the listener shall have no time to reflect and to discuss mentally with the author. In whatever proportion the two faculties be combined, it is impossible perfectly to reconcile them. Either the moral is ineffective or the play lags. At times the moralist in Dumas gets the better of the dramatist, and he lays himself open to the charge of dullness and prosiness. He himself attributed the cold reception of some long discourses in his plays to the frivolity of the public, — "a child, ignorant and unwilling to learn." [1] Eventually he came to despair of changing public opinion; he cried that "opinions are like nails; the harder you hit them the deeper you drive them in." [2] But he was resolved to continue to proclaim the truth.

1 *Préface de l'Étrangère.* 2 *Préface du Fils naturel.*

One result of the moralizing element in Dumas is the unwonted subjective character of the drama in his hands. The drama is usually objective, impersonal, while the moralist, to be effective, must be sincere, forcible and personal. And Dumas is personal, even to the extent of exhibiting on the stage, in *un Père prodigue* and *le Fils naturel*, certain phases of his father's and his own life. In nearly all his plays there is a character who represents the author himself. This character gives vent to the author's ideas, defends his theories, and, — unlike the "reasoner" of the old comedy, who was merely a spectator, — takes an active part in the plot.

Dumas' own views on his art, some of which have been already quoted, are set forth at length in the preface of *un Père prodigue*. The most essential thing about a play, according to Dumas, is that it shall have the quality of logic, "which includes good sense and clearness." The truth of the play may be absolute or relative, but the logic must be unbending from the beginning to the end, which must always be kept in sight. The plot may be complicated, — Dumas' frequently are; but must not be overcrowded with incidents, — a rule that the author sometimes violates, as in *un Père prodigue* itself. Each scene must be logically evolved from the preceding, until the dénouement is reached, "which must be the total and the proof." The basis of the drama must be nature, but nature seen and interpreted by the peculiar genius of the artist. A certain amount of conventionality is indispensable on the stage. Other necessary qualities in dramatic art are concision, rapidity, the science of bringing out in high-light the essential point, and the science of oppositions, of light and shade. The characters, in Dumas, are generally vigorous and living. Some of them have an existence entirely independent of their creator, others are embodied theories of the author, vivified opinions dear to him. These last, in the later plays, tend to lose their individuality and become mere abstractions, a danger that Dumas recognized himself.[1] As to style, it was, in Dumas' eyes, like the drama itself, but a means to an end. Provided that it attained that end, namely the effect of life and reality in the play, other considerations were of little importance. It must be clear, vivid and incisive; it need not be grammatically correct. Dumas followed out his theory, for his language has the qualities that he recommends and the failings that he defends; it is vivid and life-like, and at the same time full of slang and technical terms. One marked trait of Dumas' style is his scintillating wit, so brilliant and so constant that at times it dazzles and wearies the reader.

Such, in brief, were Dumas' theories and practice in regard to the drama. The play before us, *la Question d'argent*, first played in 1857, is typical of the author in most respects, exceptional in others. Like most of Dumas' plays, it has a thesis, but unlike the vast majority of them, that thesis is not connected with love. There is, to be sure, a love-plot, but distinctly secondary in interest. The real center of interest is the money-question. In France, as elsewhere, the progress of democracy and science and the increase of material resources, in the nineteenth century, have given rise to the race for wealth, the fever of speculation. The money-question, besides the great proportions that it assumed in Balzac's novels, had recently been treated in Ponsard's *l'Honneur et l'argent* and *la Bourse*, both highly successful plays. The same topic was treated a few years later in Augier's *les Effrontés*.

"As soon as you preach the crusade of money, all weapons

1 *Préface ae l'Étrangère.*

are permissible. Glory to the victors! Woe to the conquered! The main point is to get rich quickly."[1] It was against this spirit, the greed for wealth that dulls the finer feelings of honor, that Dumas protested in *la Question d'argent.* This play, unlike most of the author's, has but little plot. The interest lies mainly in the exposition of character, the interesting discussions and the brilliant dialogue. Jean Giraud, the leading character, is a man of low birth who has acquired a large fortune through speculation, by somewhat dubious means. Though honest, in the modern commercial sense of the word, his sense of real honor is so blunted that he cannot comprehend the scruples of the more refined people with whom he comes in contact. Yet he does not lack good qualities. Ill-bred and ostentatious as he is, his desire to rise in social standing cannot be counted against him, and despite his bluffness, he is really generous and kind-hearted. His opposite, René de Charzay, who is the chief representative in the play of Dumas' own ideas, is a young man of delicate honor, but somewhat self-righteous, and truly a little brutal when he dismisses Jean at the end with the words, "You may take your hat and retire." Durieu, René's uncle, is a typical bourgeois. Of the female characters, Élisa de Roncourt, the heroine, self-sacrificing and noble, is a somewhat pale figure. Much more original and attractive, a charming creation, is Mathilde, the little cousin, who loves René but gives him up to Élisa. The Countess Savelli, a minor character, is well-described as a "charming madcap." The other characters are of less importance.

"*La Question d'argent,*" which is typical of the author in many ways, is undoubtedly the most suitable of his plays for

[1] *A propos de la Dame aux camélias.*

class-use, and it is decidedly interesting on account of its wit, its discussions of subjects of general interest, and its fine character-studies.

BIBLIOGRAPHY.

A. DUMAS, f. Théatre complet, Théâtre des autres. (C. Lévy.)

P. BOURGET. Nouveaux Essais de psychologie contemporaine.

F. BRUNETIÈRE. Manuel de l'Histoire de la littérature française.

R. DOUMIC. Essais sur le théâtre contemporain.

G. LARROUMET. Études de littérature et d'art, 3me série.

J. LEMAITRE. Impressions de théâtre, 2me série.

P. LINDAU. Literarische Rücksichtslosigkeiten.

PERSONNAGES.

RENÉ DE CHARZAY.
JEAN GIRAUD.
DE RONCOURT.
DURIEU.
DE CAYOLLE.
ÉLISA DE RONCOURT.
MADAME DURIEU.
LA COMTESSE SAVELLI.
MATHILDE DURIEU.
DOMESTIQUES.

La scène se passe à Paris.

Au premier et au deuxième acte, chez Durieu; au troisième, chez Roncourt; au quatrième, chez la comtesse; au cinquième, chez Durieu.

LA QUESTION D'ARGENT [1]

ACTE PREMIER

Un salon à la campagne, chez Durieu. Porte au fond [2] donnant sur un jardin; portes latérales.

SCÈNE I

LA COMTESSE, DURIEU. *La comtesse est étendue sur un canapé.*

DURIEU. Comtesse, vous nous fuyez?

LA COMTESSE. Oui; vous nous avez donné un excellent dîner, mon cher monsieur Durieu, avec des gens très ai- 5
mables; mais vous êtes tous Français, et vous passez votre soirée dans le jardin, vous croyez qu'il y fait chaud, cela vous regarde. Moi qui suis née à Naples, en plein juillet, je trouve que vos soirées de la fin de l'été sont glaciales, et je me sauve [3] ici. 10

DURIEU. Nous allons venir vous y rejoindre.

LA COMTESSE. Non; laissez vos invités fumer tranquillement leurs cigares. Je vous demanderai seulement, dès que votre neveu sera arrivé, de me l'amener sans lui dire qui est là. Vous nous ferez donner de la lumière, et je n'aurai plus 15
rien à souhaiter dans ce monde.

DURIEU. René vient justement[1] d'arriver. (*Appelant.*) René !

RENÉ, *paraissant.* Mon oncle?

DURIEU. Il y a là une dame qui veut te parler.

5 RENÉ. A moi?

DURIEU. A toi. (*A la comtesse.*) Vous n'avez plus besoin de rien?

LA COMTESSE. Non, merci. *Durieu se retire après avoir baisé la main de la comtesse.*

SCÈNE II

LA COMTESSE, RENÉ.

10 RENÉ, *s'approchant.* Comment, c'est vous, comtesse ! Vous connaissez donc mon oncle?

LA COMTESSE. Il y a cinq ans que je le connais.

RENÉ. Vous ne me l'aviez jamais dit.

LA COMTESSE. Pouvais-je deviner ce que je viens d'ap-
15 prendre tout à l'heure : que M. René de Charzay est le neveu de M. Anatole Durieu? car il s'appelle Anatole, votre oncle.

RENÉ. Oui, ce n'est pas là le plus beau de son affaire.[2]

LA COMTESSE. Maintenant, répondez-moi ; comment il
20 se fait que je ne vous aie pas vu depuis près d'un an?

RENÉ. Dites-moi d'abord comment, vous, la comtesse Savelli, vous connaissez mon oncle, le bourgeois des bourgeois,[3] et comment vous dînez chez lui à la campagne?

LA COMTESSE. Il y a cinq ans, j'arrivais d'Italie ; j'étais
25 veuve depuis trois mois. J'habitais l'hôtel Meurice.[4] Un jour, j'étais allée rue de Lille[5] rendre visite à la duchesse de Blignac, et j'avais renvoyé ma voiture. Je revenais à

pied, pour faire plaisir à mon médecin, qui me dit toujours de marcher. J'arrive au pont des Saints-Pères ;[1] je ne savais pas qu'il fallût payer un sou pour passer dessus ; un invalide[2] court après moi et me demande mon sou. Je fouille dans ma poche. Selon ma coutume, je n'avais pas 5 d'argent sur moi. Je me mets à rire, l'invalide croit que je me moque de lui et m'enjoint de revenir sur mes pas. En ce moment passait à côté de moi un monsieur qui avait payé son sou, lui, qui était dans son droit,[3] et qui, voyant mon embarras, dit à l'invalide, avec un geste magnifique : 10 « Tenez, voilà votre sou, laissez passer mademoiselle. »

RENÉ. Mademoiselle ! . . . C'était flatteur. . .

LA COMTESSE. Pas trop, surtout au prix que ce monsieur y mettait. Je le remerciai donc, tout en me défendant de la qualité qu'il voulait bien[4] me donner, et je lui demandai 15 son nom et son adresse pour pouvoir lui rendre son sou. Il voulait absolument m'en faire présent. J'insistai ; enfin il se décida. Le lendemain, j'allai faire une visite à mon bienfaiteur, ou plutôt à sa femme, car il m'avait appris qu'il était marié. Madame Durieu me rendit ma visite ; nous 20 dînâmes ensemble deux fois, puis je voyageai, et je les avais oubliés complètement tous les deux, quand, l'autre jour en traversant le bois, je reconnus M. Durieu sur la route. Nous reliâmes connaissance, j'appris que nous étions voisins de campagne, et, depuis ce jour, tantôt ils sont chez moi, tan- 25 tôt je suis chez eux. J'ai fait vœu de solitude, et mon unique distraction est d'essayer de distraire votre tante, car elle n'est pas d'une gaieté folle.

RENÉ. C'est un monsieur si agréable, monsieur mon oncle ![5] 30

LA COMTESSE. Madame Durieu n'est pas heureuse ?

RENÉ. J'en ai peur : mais c'est une très noble femme ; elle ne se plaint jamais.

LA COMTESSE. Et les enfants !

RENÉ. Les enfants ?

5 LA COMTESSE. Oui.

RENÉ. Eh bien, les enfants, c'est Mathilde et Gustave. Mathilde est une bonne petite fille, qui ne se laissera pas trop sacrifier, elle. Quant à son frère, c'est une espèce de grand bêta qui a une raie qui lui coupe la tête depuis le 10 front jusqu'au collet de son habit, et qui fait des lettres de change payables à la mort de papa.[1]

LA COMTESSE. Où est-il ?

RENÉ. Il croit qu'il voyage.

LA COMTESSE. Ah ça ![2] . . . vous savez que je suis furieuse 15 contre vous ? Je vous ai écrit il y a six mois et j'attends encore votre réponse.

RENÉ. Je n'étais pas à Paris quand votre lettre est arrivée chez moi.

LA COMTESSE. Où étiez-vous donc ?

20 RENÉ. J'étais dans ma terre.

LA COMTESSE. Quelle terre ?

RENÉ. Une terre que j'ai sur le chemin de fer de Lyon.

LA COMTESSE. Vous l'appelez ?

RENÉ. La forêt de Fontainebleau.[3]

25 LA COMTESSE. La forêt de Fontainebleau est à l'État . . . mauvais plaisant !

RENÉ. Eh bien, l'État, c'est moi.[4] L'État, c'est un possesseur invisible, représenté par tous ceux qui ne possèdent pas.

30 LA COMTESSE. Et qu'est-ce que vous faisiez dans votre terre de Fontainebleau ?

RENÉ. Je faisais des économies.

LA COMTESSE. Même sur les ports de lettres? Je crois que vous étiez amoureux.

RENÉ. Moi, amoureux? . . . C'est trop cher.

LA COMTESSE. Comment, trop cher? 5

RENÉ. Il faut être riche pour aimer dans un certain monde. Tenez, supposons que je vous aime et que vous m'aimiez ; . . . supposons !

LA COMTESSE. Soit.

RENÉ. Entourée des hommes les plus élégants de Paris, 10 et avec vos habitudes de luxe, qu'est-ce que vous feriez d'un amant comme moi, qui, par la pluie battante, ne pourrait venir vous voir qu'à pied?

LA COMTESSE. J'irais le voir en voiture.

RENÉ. Voilà bien un mot de femme ! [1] mais la richesse a 15 sa tyrannie comme la pauvreté ; chacune d'elles vit dans une atmosphère qu'elle a créée et qui n'est pas respirable pour l'autre. Vous vous lasseriez bien vite de monter les cinq étages d'un pauvre diable comme moi.

LA COMTESSE. Ah çà ! cher ami, je vous écoute ; [2] à vous 20 entendre, vous seriez le nouveau Job ! [3]

RENÉ. Mais c'est qu'il n'y a pas une grande différence avec l'ancien.

LA COMTESSE. On m'avait dit que vous étiez riche.

RENÉ. Quelle calomnie ! j'ai trois mille livres de rente. 25

LA COMTESSE. Par mois?

RENÉ. Par an. Autrement dit : j'ai deux cent cinquante francs à dépenser par mois, huit francs et quelques sous à dépenser par jour.

LA COMTESSE. Comment vivez-vous avec cela? 30

RENÉ. Je vis mal ; mais, au moins, il n'y a pas un être

dans la création qui puisse me faire faire ce que je ne veux pas faire, excepté les gens que j'aime. Voilà.[1]

LA COMTESSE. Mais cette vie-là ne pourra pas durer toujours. Vous vous marierez.

5 RENÉ. Je ne suis pas assez riche pour deux.

LA COMTESSE. Vous épouserez une femme riche.

RENÉ. Je ne veux pas me vendre.

LA COMTESSE. Alors, vous resterez libre?

RENÉ. Oui.

10 LA COMTESSE. Ah çà ![2] vous êtes peut-être heureux !

RENÉ. Je ne le suis pas peut-être, je le suis certainement.

LA COMTESSE. Je voudrais bien pouvoir en dire autant.

RENÉ. Vous n'êtes donc pas heureuse?

15 LA COMTESSE. Je m'ennuie quelquefois.

RENÉ. Vous êtes trop riche.

LA COMTESSE. Je n'en sais rien. Figurez-vous que je suis criblée de dettes.

RENÉ. Comment vous y êtes-vous prise pour vous

20 endetter?

LA COMTESSE. Je l'ignore; j'ai acheté des robes et j'ai donné des bals, comme toutes les femmes. Il faut bien s'habiller un peu et danser de temps en temps.

RENÉ. Et vous devez?

25 LA COMTESSE. Oh ! ne m'en parlez pas !... c'est affreux ! Comme j'étais toute seule hier, j'ai passé en revue les notes[3] non payées de mes fournisseurs : je dois, entre autres choses, trente-huit mille francs de chapeaux et de bonnets, onze mille francs de gants, cinquante-deux mille francs de

30 robes, vingt-huit mille francs de fleurs et cent dix mille francs de châles et de dentelles. Je ne vous parle pas du

marchand de chevaux, du carrossier, du bijoutier, qui ne veulent pas m'envoyer leurs factures : je me doute de ce qu'elles sont. J'ai fait bâtir un hôtel qui me revient à un million, et le tapissier qui l'a arrangé m'a fait remettre un compte de trois cent quarante-sept mille huit cent quatre- 5
vingt-neuf francs cinquante centimes.

RENÉ. Les cinquante centimes sont adorables.

LA COMTESSE. N'est-ce pas? Ils donnent tout de suite un petit air honnête et vraisemblable au mémoire de ce brave homme. 10

RENÉ. Et votre intendant, à quoi sert-il donc?

LA COMTESSE. Mon intendant, il m'a quittée ; il vit de mes rentes. Du reste, il avait trouvé un bon procédé :[1] depuis deux ans, il mettait toutes les notes dans un tiroir, me donnait tout l'argent que je demandais et ne payait rien. 15
C'était bien simple.

RENÉ. Quel gaspillage !

LA COMTESSE. Que voulez-vous ![2] je me suis trouvée veuve à vingt-deux ans, sans père ni mère. Le comte Savelli, à qui on m'avait mariée, et qui avait une immense 20
fortune qu'il m'a laissée, ne savait pas plus que moi ce que c'était que compter.[3]

RENÉ. C'était un jeune homme?

LA COMTESSE. Il avait soixante ans.

RENÉ. De quoi est-il mort? 25

LA COMTESSE. De jeunesse. (*René rit.*) Ne riez pas : c'était un homme charmant. Je n'en suis pas moins restée veuve et livrée à moi-même et aux intendants, avec des biens aux quatre coins de l'Europe. J'ai des terres dans l'intérieur de la Russie, des palais à Gênes[4] et à Rome, et 30
des plantations aux colonies ; je crois même que j'ai en

Sicile une montagne à moi avec un volcan, un vrai volcan qui fume ; mais je ne le compte pas comme rapport.

RENÉ. Au contraire.

LA COMTESSE. Maintenant, je vais réaliser ma fortune, 5 placer tout en France, en argent comptant, savoir positivement ce que je possède, me fixer à Paris et vivre très modestement. J'ai envie de devenir avare.

RENÉ. Ça vous amusera toujours[1] pendant quelque temps ; mais en attendant, je vais vous donner un bon conseil. Vous 10 avez dîné avec . . .?

LA COMTESSE. Avec votre tante, votre cousine et votre oncle, M. de Cayolle.[2]

RENÉ. Un homme intelligent, supérieur. Il s'est fait tout seul.[3]

15 LA COMTESSE. Avec M. de Roncourt et sa fille.

RENÉ. Ah ! arrêtons-nous ici. M. de Roncourt est d'une bonne et vieille famille du Poitou.[4] Il avait un frère très bon chimiste qui avait fait une découverte qui l'a ruiné, comme font toutes les découvertes. Ce frère est mort de chagrin, 20 à l'idée qu'il allait être mis en faillite.[5] M. de Roncourt, comme un vrai gentilhomme,[6] a répondu pour son frère, ne voulant pas qu'un Roncourt dût quelque chose à quelqu'un. Les trois cent mille francs de fortune qu'il avait y ont passé.[7] Savez-vous ce qui est arrivé alors?

25 LA COMTESSE. Il a été ruiné.

RENÉ. Naturellement,[8] et il s'est trouvé redevoir encore cent mille francs.

LA COMTESSE. Comment a-t-il fait?

RENÉ. Il les doit toujours ; seulement, il ne possède plus 30 rien, qu'une place de quinze cents francs. . .

LA COMTESSE. Pauvre homme !

RENÉ. Et comme sa fille donne des leçons de piano pour vivre, ses créanciers ne lui réclament pas cette dette. Ils en seraient pour leurs frais :[1] ils aiment donc mieux se donner des airs de générosité.

LA COMTESSE. Mais sa famille ne pourrait-elle . . .? 5

RENÉ. Un homme ruiné n'a plus de famille. Voici donc ce que vous allez faire.

LA COMTESSE. Dites.

RENÉ. Vous allez reconduire, ce soir même, M. de Roncourt à Paris, dans votre voiture. 10

LA COMTESSE. Il y a deux lieues.

RENÉ. C'est une promenade pour vos chevaux ; et, comme vous n'avez plus d'intendant et que[2] vous ne pouvez pas vous en passer, vous lui demanderez s'il veut accepter cette place. 15

LA COMTESSE. S'il me refuse, en sa qualité de gentilhomme?[3]

RENÉ. S'il vous refuse, c'est que vous le lui aurez mal demandé. Il acceptera donc, il rétablira vos affaires, il prendra des arrangements avec ses créanciers, et vous aurez 20 sauvé un honnête homme.

LA COMTESSE. Cela se trouve d'autant mieux,[4] que je vais faire un petit voyage, et que je cherchais quelqu'un qui se chargeât d'arranger mes affaires pendant mon absence.

RENÉ. Quant à sa fille. 25

LA COMTESSE. Au fait, sa fille, qu'est-ce que j'en ferai?

RENÉ. Vous la prendrez avec vous.

LA COMTESSE. Et puis?

RENÉ. Et puis vous la marierez.

LA COMTESSE. Avec qui? 30

RENÉ. Avec un des petits messieurs[5] qui passent leur

temps à vous faire la cour. (*Une pause.*) A quoi pensez-vous?

LA COMTESSE. Je pense à une difficulté.

RENÉ. Déjà?

5 LA COMTESSE. Cette demoiselle de Roncourt est-elle mariable?

RENÉ. Toutes les femmes le sont.

LA COMTESSE. Plus ou moins. C'est Élisa qu'on l'appelle?

10 RENÉ. Oui.

LA COMTESSE. Je me disais, pendant le dîner: «Où donc ai-je entendu parler de cette jeune fille?» Je me le rappelle très bien maintenant. Elle allait dans le monde,[1] autrefois.

15 RENÉ. Parfaitement.[2]

LA COMTESSE. Il y a une histoire sur le compte de cette demoiselle de Roncourt; n'a-t-elle pas dû épouser[3] Max Hubert, le compositeur?

RENÉ. Oui.

20 LA COMTESSE. Le mariage n'a pas eu lieu?

RENÉ. Qui est-ce qui n'a pas manqué un mariage?

LA COMTESSE. Oui; mais ce n'est pas tout, il paraît que les choses ont été très loin.

RENÉ. Qui vous a dit cela?

25 LA COMTESSE. Je n'en sais rien; je sais qu'on m'a dit. . .

RENÉ. Que Max avait été son amant, peut-être?

LA COMTESSE. Voilà.[4]

RENÉ. On m'a bien dit que lord Nofton était le vôtre, et comme vous partez pour l'Angleterre, sans doute. . .

30 LA COMTESSE. Oh! mais, moi. . .

RENÉ. Vous, tout vous est permis. Ce qui est une faute

chez une fille pauvre est à peine une inconséquence[1] chez une femme riche. Le monde vend des mots différents pour désigner la même chose. Le tout est de pouvoir y mettre le prix.[2]

La Comtesse. Comme vous vous emportez ! . . . 5

René. Voilà comme je suis pour mes amis.

La Comtesse. Vous êtes donc l'ami de mademoiselle de Roncourt?

René. Oui.

La Comtesse. Elle est bien heureuse. 10

René. Et elle le mérite. Élisa est une charmante fille.

La Comtesse. Vous l'appelez Élisa tout court? [3]

René. Il y a douze ans que je la connais.

La Comtesse. Continuez.

René. Je disais : Élisa est une charmante fille, pleine de 15 qualités solides,[4] de distinction, de talent même, et enfin elle est malheureuse. Voilà, pour vous et pour moi, la raison sans réplique. Nous savons bien à quoi nous en tenir sur le monde ; [5] nous n'allons pas faire de la pruderie ensemble. A chaque femme son petit secret. Ne voyez qu'une chose, 20 c'est que vous pouvez être utile à un très honnête homme et à une très excellente créature. Réglez-vous là-dessus ; faites bien, et laissez dire. . . .

La Comtesse. C'est convenu, alors.

René. Vous me le promettez? 25

La Comtesse. Ce sera terminé avant mon départ.

René. A la bonne heure.[6]

SCÈNE III

Les Mêmes, Madame Durieu, *entrant.*

Madame Durieu, *entrant.* J'espère que nous vous avons laissés causer !

LA COMTESSE. Oui, ma chère Madame Durieu ; aussi en avons-nous dit.[1] . . .

MADAME DURIEU. Maintenant, je viens vous faire une petite annonce.

5 LA COMTESSE. Voyons.

MADAME DURIEU. Je viens vous demander d'être indulgente pour un monsieur qui va entrer.

LA COMTESSE. Avez-vous besoin de réclamer mon indulgence pour les gens qui sont chez vous ?

10 MADAME DURIEU. C'est que M. Giraud n'est pas comme tout le monde. . . .

RENÉ. Qu'est-ce que c'est que M. Giraud ?

MADAME DURIEU. C'est un nouvel enrichi.

LA COMTESSE. De quand ?

15 MADAME DURIEU. De l'autre jour ; de sorte que ce n'est pas tout à fait un homme comme il faut, mais mon mari l'a pris en affection.

LA COMTESSE. Nous le verrons. Est-il vieux ?

MADAME DURIEU. Il est jeune.

20 LA COMTESSE. C'est une excuse.

MADAME DURIEU. Le voici, avec mademoiselle de Roncourt.

LA COMTESSE. Oh ! comme il est bien mis !

SCÈNE IV

LES MÊMES, JEAN, ÉLISA, DURIEU, MATHILDE, DE RONCOURT, DE CAVOLLE.

JEAN, *entre en causant avec Élisa.* La voiture vient de 25 chez Ehrler et les chevaux de chez Drake ; mais je puis dire que j'ai la plus belle paire de chevaux qui soit à Paris.

ÉLISA. En effet, monsieur, cet attelage est d'une grande richesse.[1] Ces harnais dorés doivent être d'un très bel effet au soleil.

JEAN. Croyez-vous que mon sellier ne voulait pas absolument les faire dorés? 5

ÉLISA. C'eût été malheureux.

JEAN. Eh bien, mademoiselle, quand monsieur votre père et vous voudrez faire une promenade au bois,[2] je mets ma voiture à votre disposition.

ÉLISA. Je craindrais de vous en priver, monsieur. 10

JEAN. J'en ai bien d'autres! Figurez-vous que j'ai un coupé. . . .

DURIEU, *l'interrompant.* Mon cher monsieur Giraud. . . .

JEAN. Plaît-il?[3]

DURIEU. Je veux vous. . . . 15

JEAN, *l'interrompant.* Quelle est cette demoiselle avec qui je causais là?

DURIEU. C'est mademoiselle de Roncourt.

JEAN. De Roncourt! Elle est noble?

DURIEU. Mais voilà tout ce qu'elle a,[4] la pauvre fille; ils 20 ne sont pas heureux, elle et son père; ils ne sont pas bien amusants non plus; mais je les ai connus autrefois, quand ils étaient riches, et je ne puis guère cesser de les voir.

JEAN. La fille est charmante.

DURIEU. Elle n'est pas mal.[5] Mais venez, que je vous 25 présente à une très grande dame, très riche; dix millions de fortune, rien que ça.

JEAN, *désignant du doigt la comtesse.* C'est cette dame qui est là-bas?

DURIEU. Oui; mais ne la montrez pas du doigt. 30

JEAN. C'est la comtesse Savelli.

DURIEU. Vous la connaissez?

JEAN. Je me suis trouvé avec elle, mais je ne lui ai jamais parlé.

DURIEU. Venez; c'est une bonne connaissance pour
5 vous. (*A la comtesse.*) Monsieur Jean Giraud....

LA COMTESSE, *saluant.* Monsieur....

JEAN. Madame la comtesse... (*Il prend une chaise et veut*[1] *s'asseoir, mais ne sait comment la poser et finit par rester debout.*)

10 RENÉ, *à Mathilde.* Tu ne veux donc plus me parler, cousine!

MATHILDE. Moi? Au contraire.

RENÉ. Tu as l'air de te sauver quand je suis là.

MATHILDE. Pas le moins du monde; je donnais des
15 ordres pour le thé.

RENÉ. Tu parais triste; est-ce que tu as cassé ta poupée?

MATHILDE. Justement.

RENÉ. Je t'en apporterai une autre.

MATHILDE. C'est cela.[2]

20 DURIEU, *à René.* Tu me feras penser à te dire un mot, avant de t'en aller.

RENÉ. C'est bien.

JEAN, *à la comtesse.* Alors, vous ne me reconnaissez pas?

LA COMTESSE. Non, monsieur.

25 JEAN. Moi, je vous ai reconnue tout de suite; mais c'est tout simple, une personne comme vous, quand on l'a vue une fois, on s'en rappelle[3] toujours.

LA COMTESSE, *à part.* *S'en rappelle* n'est pas heureux.

JEAN. Je vais vous remettre sur la voie. Vous êtes allée,
30 il y a sept ou huit jours, pour acheter un hôtel aux Champs-Élysées,[4] près du Jardin d'Hiver.[5]

LA COMTESSE. C'est vrai, monsieur.

JEAN. Un hôtel Louis XIII.

LA COMTESSE. Non, un hôtel Louis XV.

JEAN. Je le croyais du temps de Louis XIII. Après cela, Louis XIII, Louis XV, c'est toujours[1] à peu près la même chose. De grand-père à petit-fils, il n'y a pas si loin. 5

LA COMTESSE. Peut-être plus loin qu'on ne le pense.[2]

JEAN. Mais non. Louis XIII, Louis XIV, Louis XV, enfin, c'est toujours de la même famille. J'ai dit une bêtise?

LA COMTESSE. Non, pas du tout. 10

JEAN. C'est que ça m'arrive souvent. Eh bien, quand vous êtes venue voir cet hôtel, dans le salon du propriétaire, il y avait quelqu'un qui causait avec lui, c'était moi.

LA COMTESSE. J'en suis enchantée, monsieur.

JEAN. Oui, c'était moi qui venais pour acheter l'hôtel. 15 Nous nous tenions à[3] cinquante mille francs, une bagatelle. J'ai fait signe au propriétaire, qui vous a dit alors qu'il venait d'être vendu. Quand j'ai vu qu'une personne comme vous le désirait, j'en ai eu encore plus d'envie.

LA COMTESSE. C'est très flatteur pour moi, monsieur. 20

JEAN. Mais, aujourd'hui que j'en suis propriétaire, je le mets à votre disposition.

LA COMTESSE. Pour quel prix?

JEAN. Pour rien, si vous voulez.

LA COMTESSE. J'attendrai que vous fassiez une diminution, monsieur, c'est un peu cher. (*Elle se lève, et va à René, qui cause avec Élisa et M. de Roncourt.*) Il vient de m'offrir un hôtel. 25

RENÉ. Meublé?

LA COMTESSE, *riant.* Je crois que oui. . . . 30

JEAN, *à lui-même.* Cette fois, j'ai dit une bêtise, une vraie.

UN DOMESTIQUE. Les gens de M. le baron Giraud demandent s'ils doivent attendre M. le baron.

RENÉ, *à la comtesse.* Le baron Giraud ! cela devient drôle.

5 JEAN, *au domestique.* Mon ami, dites à mes gens de m'attendre . . . et attendez aussi, vous. Priez mes gens de ne plus m'appeler baron quand je suis dans le monde ; c'est bon quand je suis seul, puisqu'ils y tiennent [1] absolument, mais j'ai bien assez d'autres ridicules involontaires, 10 sans me donner volontairement celui-là. Et voici vingt francs pour votre commission. Allez.

DURIEU, *à la comtesse.* Il a de l'esprit, n'est-ce pas?

LA COMTESSE. Il est amusant.

JEAN. C'est vrai. On sait bien que je ne suis pas baron.

15 MATHILDE. Il va en dire trop, il va gâter son effet.[2]

JEAN. Voilà M. René de Charzay qui ne me reconnaît pas, ou qui fait semblant de ne pas me reconnaître, mais que je reconnais bien, moi, et qui tôt ou tard pourrait dire qui je suis.

20 RENÉ. Moi, monsieur?

JEAN. Vous-même ; seulement, j'étais un grand garçon, que [3] vous étiez encore un moutard.[4] Quel âge avez-vous?

RENÉ. J'ai vingt-huit ans, monsieur.

JEAN. Et moi, trente-sept. C'est une fière différence, 25 allez ! [5] Comme vous ressemblez à votre père ! C'était un brave homme, M. de Charzay.

RENÉ. Vous m'intriguez beaucoup, monsieur, car je ne croyais vraiment pas avoir jamais eu l'honneur de me trouver avec vous. Il me semble que je me le serais tou- 30 jours rappelé.

JEAN. C'est une méchanceté, ça ; mais ça m'est égal !

On m'en dit bien d'autres tous les jours. Vous souvenez-vous de François Giraud, qui était jardinier chez M. de Charzay, à son petit château de la Varenne?

RENÉ. Parfaitement. C'était un très honnête homme que mon père estimait beaucoup. 5

JEAN. C'était mon père.

RENÉ. C'est vrai . . . il avait un grand garçon. . . Comment ! c'est vous?

JEAN. C'est moi. Hé ! hé ! j'ai fait mon chemin, comme on dit. Il y a des gens qui rougissent de leur père ; moi, 10 je me vante du mien, voilà la différence.

RENÉ. Et qu'est-ce qu'il est devenu, le père Giraud? [1] Oh ! pardon ! . . .

JEAN. Ne vous gênez pas,[2] nous l'appelons toujours le père Giraud. Eh bien, il est encore jardinier, seulement 15 pour son propre compte. C'est à lui la maison que votre père a été forcé de vendre autrefois. Il n'avait qu'une idée, le père Giraud, c'était d'en devenir propriétaire ; je la lui ai achetée, il est heureux comme le poisson dans l'eau. Si vous voulez, nous irons déjeuner un matin avec 20 lui, il sera bien content de vous voir. Comme tout change, hein ! . . . Là où nous étions serviteurs, nous voilà maîtres ; mais nous n'en sommes pas plus fiers pour cela.

LA COMTESSE. Il a passé le Rubicon des parvenus. Il a avoué son père ; maintenant, on ne l'arrêtera plus. 25

JEAN. Il y a bien longtemps que j'avais envie de vous voir ; mais je ne savais pas comment vous me recevriez.

RENÉ. Je vous aurais reçu avec plaisir, comme mon oncle vous reçoit. On ne peut reprocher à un homme qui a fait sa fortune que de l'avoir faite par des moyens déshon- 30 nêtes ; mais celui qui la doit à son intelligence et à sa probité, qui en use noblement, tout le monde est prêt à l'accueillir comme on vous accueille ici.

JEAN. Il n'est même pas bien nécessaire qu'il en use noblement; pourvu qu'il l'ait gagnée, voilà l'important.

5 MADAME DURIEU. Oh! monsieur Giraud, vous gâtez là tout ce que vous avez dit de bien.

JEAN. Je ne dis pas cela pour moi, madame, mais je sais ce que je dis; l'argent est l'argent, quelles que soient les mains où il se trouve. C'est la seule puissance que l'on 10 ne discute [1] jamais. On discute la vertu, la beauté, le courage, le génie; on ne discute jamais l'argent. Il n'y a pas un être civilisé qui, en se levant le matin, ne reconnaisse la souveraineté de l'argent, sans lequel il n'aurait ni le toit qui l'abrite, ni le lit où il couche, ni le pain qu'il mange. Où 15 va cette population qui se presse dans les rues, depuis le commissionnaire qui sue sous son fardeau trop lourd, jusqu'au millionnaire qui se rend à la Bourse au trot de ses deux chevaux? L'un court après quinze sous, l'autre après cent mille francs. Pourquoi ces boutiques, ces vaisseaux, 20 ces chemins de fer, ces usines, ces théâtres, ces musées, ces procès entre frères et sœurs, entre fils et pères, ces découvertes, ces divisions, ces assassinats? Pour quelques pièces plus ou moins nombreuses de ce métal blanc ou jaune qu'on appelle l'argent ou l'or. Et qui sera le plus considéré à la 25 suite de cette grande course aux écus? [2] Celui qui en rapportera davantage. Aujourd'hui un homme ne doit plus avoir qu'un but, c'est de devenir très riche. Quant à moi, ç'a toujours été mon idée, j'y suis arrivé et je m'en félicite. Autrefois tout le monde me trouvait laid, bête, impor- 30 tun; aujourd'hui tout le monde me trouve beau, spirituel, aimable, et Dieu sait si je suis spirituel, aimable et beau!

Du jour où j'aurai été assez niais pour me ruiner et redevenir Jean [1] comme devant, il n'y aura pas assez de pierres dans les carrières de Montmartre [2] pour me les jeter à la tête ; mais ce jour est encore loin, et beaucoup de mes confrères se seront ruinés d'ici là, pour que je ne me ruine 5 pas. Enfin le plus grand éloge que je puisse faire de l'argent, c'est qu'une société comme celle où je me trouve ait eu la patience d'écouter si longtemps le fils d'un jardinier qui n'a d'autres droits à cette attention que les pauvres petits millions qu'il a gagnés. 10

DURIEU. C'est très vrai, tout ce qu'il vient de dire là. Le fils d'un jardinier ! C'est étonnant ! Il voit notre siècle tel qu'il est.

MADAME DURIEU. Eh bien, mon cher monsieur de Cayolle, que pensez-vous de tout cela ? 15

DE CAYOLLE. Je pense, madame, que les théories de M. Giraud sont vraies seulement dans le monde où M. Giraud a vécu jusqu'à présent, qui est un monde de spéculation, dont le but unique doit être l'argent. Quant à l'argent par lui-même, il fait faire quelques infamies, mais il fait 20 faire aussi de grandes et nobles choses. Il est semblable à la parole humaine, qui est un mal chez les uns, un bien chez les autres, selon l'usage que l'on en fait. Mais cette obligation où nos mœurs mettent l'homme d'avoir à s'inquiéter tous les jours, en se réveillant, de la somme nécessaire pour 25 ses besoins, afin qu'il ne prenne rien à son voisin, a créé les plus belles intelligences de tous les temps. C'est à ce besoin de l'argent quotidien que nous devons : Franklin, qui a commencé, pour vivre, par être ouvrier imprimeur ; Shakspeare, qui gardait les chevaux à la porte du théâtre qu'il 30 devait immortaliser plus tard ; Machiavel,[3] qui était secrétaire de la république florentine, à quinze écus par mois; Raphaël,[1] qui était le fils d'un barbouilleur d'Urbin;[2] Jean-Jacques Rousseau,[3] qui a été commis-greffier,[4] graveur, copiste, et qui encore ne dînait pas tous les jours; Fulton, qui a 5 d'abord été rapin, puis ouvrier mécanicien, et qui nous a donné le vapeur,[5] . . . et tant d'autres! Faites naître tous ces gens-là avec cinq cent mille livres de rente chacun, et il y avait bien des chances pour qu'aucun d'eux ne devînt ce qu'il est devenu. Cette course aux écus dont vous parlez a 10 donc du bon. Si elle enrichit quelques imbéciles ou quelques fripons, si elle leur procure la considération et l'estime des subalternes, des inférieurs, de tous ceux enfin qui n'ont avec la société que des rapports qui se payent, elle fait assez de bien d'un autre côté en éperonnant des facultés qui se-15 raient restées stationnaires dans le bien-être, pour qu'on lui pardonne quelques petites erreurs. A mesure que vous entrerez dans le vrai monde qui vous est à peu près inconnu, monsieur Giraud, vous acquerrez la preuve que l'homme qui y est reçu n'y est reçu que pour sa valeur personnelle. Re-20 gardez ici, autour de vous, sans aller plus loin, et vous verrez que l'argent n'a pas cette influence que vous lui prêtez. Voici madame la comtesse Savelli, qui a cinq cent mille francs de revenu, et qui, au lieu de dîner avec les millionnaires qui assiègent son hôtel tous les jours, vient dîner chez 25 M. et madame Durieu, de simples bourgeois, pauvres à côté d'elle, pour le plaisir de se trouver avec M. de Charzay, qui n'a que mille écus[6] de rente, et qui, pour des millions, ne ferait pas ce qu'il ne doit pas faire; avec M. de Roncourt, qui a une place de quinze cents francs, parce qu'il a aban-30 donné toute sa fortune à des créanciers qui n'étaient pas les siens, et qu'il pouvait ne pas payer;[7] avec mademoiselle de

Roncourt, qui a sacrifié sa dot au même sentiment d'honneur et de solidarité ;[1] avec mademoiselle Durieu, qui ne sera jamais la femme que d'un honnête homme, eût-il pour rivaux tous les Crésus présents et à venir ; enfin, avec moi, qui ai pour l'argent, dans l'acception que vous donnez à ce mot, le mépris le plus profond. Maintenant, monsieur Giraud, si nous vous avons écouté si longtemps, c'est que nous sommes tous gens bien élevés ici, et que, d'ailleurs, vous parliez bien ; mais il n'y avait là aucune flatterie pour vos millions, et la preuve, c'est qu'on m'a écouté encore plus longtemps que vous, moi qui n'ai pas comme vous un billet de mille francs à mettre dans chacune de mes phrases.

JEAN, *à Durieu.* Quel est ce monsieur qui vient de parler ?

DURIEU. C'est M. de Cayolle.

JEAN. L'administrateur du chemin ? . . .

DURIEU. Oui.

JEAN, *à de Cayolle.* Monsieur de Cayolle, vous pouvez croire que je suis bien heureux de me trouver avec vous.

DE CAYOLLE. Je le crois, monsieur. (*Il lui tourne le dos.*[2])

DE RONCOURT, *à Durieu.* De Cayolle a été dur pour notre parvenu.

DURIEU. Ces gens d'argent se détestent entre eux.

DE CAYOLLE, *appelant.* Durieu !

DURIEU. Cher ami ?

DE CAYOLLE. Où diable avez-vous connu[3] ce Jean Giraud ?

DURIEU. C'est mon fils qui me l'a adressé ; ce n'est pas un mauvais garçon.

DE CAYOLLE. C'est possible ; je parie que vous faites des affaires avec lui.

DURIEU. Parbleu ![1]

DE CAYOLLE. Prenez garde.

DURIEU. Il est plus malin [2] que vous tous.

DE CAYOLLE. C'est bien cela que je crains pour vous.

5 DURIEU. Mais, moi, je suis plus malin que lui.

DE CAYOLLE. Tant pis. Adieu !

DURIEU. Vous partez déjà ?

DE CAYOLLE. Oui, j'ai beaucoup à travailler, et nous avons une séance demain. Au revoir. (*Il sort.*)

SCÈNE V

LES MÊMES, *hors* DE CAYOLLE.

10 JEAN, *à Élisa.* Ils disent du mal de moi, là-bas.

ÉLISA. Qui [3] peut vous faire faire une pareille supposition, monsieur ?

JEAN. Je sens ça, moi ; mais l'important, c'est que vous ne pensiez pas de mal de moi, vous.

15 ÉLISA. Quel mal pourrais-je penser de vous, monsieur ? Il n'y a pas une heure que je vous connais.

JEAN. Il ne faut peut-être pas plus de temps pour penser du mal des uns que pour penser du bien des autres. Il n'y a, moi aussi, qu'une heure que je vous connais, et je

20 pense toute sorte de bien de vous.

MATHILDE. Monsieur Giraud !

JEAN. Mademoiselle ?

MATHILDE. Un mot, je vous prie.

JEAN. Je suis à vous, mademoiselle.

25 RENÉ, *à Élisa.* Vous avez fait la conquête de M Giraud.

ÉLISA. Je commence à le croire.

RENÉ. Si [4] vous alliez devenir madame Giraud ?

ÉLISA. Quelle folie !

LA COMTESSE. Monsieur de Roncourt !

DE RONCOURT. Madame ? . . .

LA COMTESSE. Voulez-vous venir causer un instant avec moi ? . . . (*A René.*) Soyez donc assez bon pour voir si ma voiture est là.[1] (*René sort.*) 5

JEAN, *venant à Mathilde.* Je suis à vos ordres, mademoiselle.

MATHILDE. Je suis chargée d'une commission pour vous, monsieur. 10

JEAN. Quelle commission ?

MATHILDE. J'ai à vous remettre cinq cents francs que vous avez eu l'obligeance de prêter à mon frère, à Marseille.

JEAN. Ce n'était pas pressé, mademoiselle, et, si votre frère a encore besoin de cet argent. . . . 15

MATHILDE. Non, monsieur ; ma mère, à qui il avait écrit de vous les rendre, regrette même de vous les avoir fait attendre si longtemps ; mais, vous savez, une mère de famille n'a pas toujours cinq cents francs à donner pour une dette de son fils, surtout quand le père n'en doit rien savoir, car 20 nous vous prions de n'en rien dire à mon père. C'est là un secret de jeune homme qui ne regarde que la mère et la sœur. (*Elle lui remet un petit portefeuille.*)

JEAN. Mais, mademoiselle, vous me rendez cet argent dans un charmant petit portefeuille que je n'ai pas prêté à 25 votre frère.

MATHILDE. C'est moi qui l'ai brodé, monsieur.

JEAN. Est-ce encore un secret ?

MATHILDE. Non, monsieur, c'est l'intérêt légal. (*Elle s'éloigne.*) 30

JEAN, *à lui-même en comptant.* Cinq cents francs. C'est

bien cela. Ces gens du monde ont une façon de vous rendre l'argent qu'ils vous doivent, qui vous ferait croire qu'ils ne vous le devaient pas.

DE RONCOURT, *à Élisa.* Je vais te dire adieu, chère
5 enfant.

ÉLISA. Pourquoi ne restes-tu pas ici ce soir, puisque M. Durieu t'a offert une chambre? Tu t'en retourneras demain.

DE RONCOURT. La comtesse m'a proposé de me recon-
10 duire, j'ai accepté. Elle a, dit-elle, à causer avec moi, je ne sais pas ce qu'elle peut avoir à me dire, et puis il faut que je sois demain matin de bonne heure à Paris. J'ai rendez-vous avec M. Petitet, l'avoué; mes créanciers me font faire [1] une proposition. En donnant dix mille francs,
15 je pourrais me libérer de tout; mais où trouver ces dix mille francs?

ÉLISA. M. de Cayolle te les prêterait peut-être dans une circonstance comme celle-là.

DE RONCOURT. Peut-être! enfin, je vais toujours [2] voir
20 ce que me dira demain cet avoué. (*Il l'embrasse.*)

RENÉ, *entrant, à la comtesse.* Votre voiture est là.[3]

LA COMTESSE. Je vous verrai avant mon départ?

RENÉ. Cela va sans dire.

LA COMTESSE. Et je vous mettrai au courant [4] de ce que
25 j'aurai fait pour vos protégés!

MADAME DURIEU, *à Durieu.* Le dîner était-il convenable, mon ami?

DURIEU. Très bien, très bien. A-t-il coûté cher?

MADAME DURIEU. Non.

30 JEAN, *à Élisa.* Est-ce que vous retournez à Paris ce soir, mademoiselle?

ÉLISA. Non, monsieur ; je reste ici, je passe quelques jours avec Mathilde.

JEAN. Alors, j'aurai le plaisir de vous revoir ?

ÉLISA. Oui, monsieur.

LA COMTESSE, *à madame Durieu.* Au revoir, ma chère madame Durieu. 5

MADAME DURIEU. Vous ne vous êtes pas trop ennuyée ?

LA COMTESSE. Je me suis beaucoup amusée, au contraire. Votre M. Giraud est très drôle ; je l'inviterai un de ces jours pour moi toute seule. (*A Mathilde.*) A bientôt, chère enfant. (*Elle embrasse Élisa.*) Au revoir, mademoiselle. 10

ÉLISA. Au revoir, madame.

DURIEU. A bientôt, comtesse ; à bientôt. (*Mathilde vient dire adieu à la comtesse qui l'embrasse.*)

MADAME DURIEU, *à Mathilde.* As-tu fait tes comptes de la semaine ? 15

MATHILDE. Ils ne sont pas terminés.

MADAME DURIEU. Va les chercher et apporte-les-moi. Tu es en retard. Il faut les mettre au courant [1] ce soir. Je vais accompagner un peu [2] la comtesse, je te retrouverai là. 20

Elles sortent.

SCÈNE VI

LES MÊMES, *hors* LA COMTESSE *et* MADAME DURIEU.

RENÉ. Eh bien, mon oncle, je m'en vais. Qu'est-ce que vous aviez à me dire ?

DURIEU. Voici ce que tu vas faire. Demain matin, tu m'écriras ceci : « Mon cher oncle, ne comptez pas sur moi pour dîner mercredi avec vous. J'ai trouvé en rentrant [3] une lettre qui m'annonce pour ce jour-là une entrevue avec 25

la personne dont je vous ai parlé. Vous savez que je suis amoureux et qu'il s'agit d'un mariage sérieux. J'irai vous porter des nouvelles, et, s'il y a une démarche à faire,[1] je compte sur vous. » (*Pendant cette tirade, Jean s'est assis*
5 *au piano et a joué* Il pleut, bergère,[2] *avec un seul doigt.*)

RENÉ. Voilà tout?

DURIEU. Oui.

RENÉ. Vous savez que je ne comprends pas. . .

DURIEU. Quand nous nous reverrons, je t'expliquerai ce
10 grand mystère. En attendant, écris-moi la lettre.

RENÉ. Vous l'aurez demain. Au revoir.

DURIEU. Au revoir, cher enfant.

JEAN, *à René.* Voulez-vous que[3] je vous offre une place dans ma voiture, monsieur de Charzay?

15 RENÉ. Je vous remercie beaucoup, je vais prendre le chemin de fer.

JEAN. Jusque-là. . .

RENÉ. J'irai à pied.

JEAN. Je crois qu'il va pleuvoir.

20 RENÉ. J'ai mon parapluie. (*A Élisa en lui donnant la main.*) Bonsoir.

ÉLISA. Bonsoir. *René sort.*

SCÈNE VII

DURIEU, JEAN, ÉLISA.

DURIEU, *à Jean.* Quel charmant garçon ! il ne lui manque que vingt-cinq mille livres de rente.

25 JEAN, *à Durieu.* Quand pourrons-nous causer?

DURIEU. Est-ce que vous avez de bonnes nouvelles?

JEAN. Je n'en ai jamais que de bonnes.

DURIEU. Ça va bien alors ; tant mieux, car j'ai grand besoin d'argent. Je vais marier ma fille, et les gendres sont chers, par le temps qui court.

JEAN. Eh bien, si vous avez besoin d'argent, je puis vous mettre dans une bonne opération.[1] 5

DURIEU. Qu'est-ce que c'est?

JEAN. Avez-vous touché les quarante mille francs que vous deviez recevoir?

DURIEU. C'est pour demain ; du moins, on me l'a promis.

JEAN. Eh bien, vous me les donnerez, vos quarante mille 10 francs, et vous m'en direz des nouvelles.[2]

DURIEU. Ah !

JEAN. En attendant, lisez ceci. C'est le projet de notre acte de société ;[3] lisez bien attentivement, nous en causerons ces jours-ci. A bientôt. 15

DURIEU. Ah ! oui, oui. A propos, je voulais vous dire. . .

Il sort avec Jean.—Élisa reste seule ; elle fait quelques accords au piano, puis elle pose sa tête sur sa main et se met à rêver.

SCÈNE VIII

MATHILDE, ÉLISA.

MATHILDE, *entrant.* Qu'est-ce que tu fais là? 20

ÉLISA. Rien ; je feuilletais cette musique.

MATHILDE. Le dernier opéra de M. Max Hubert. Il nous l'a envoyé ; j'en ai joué quelques morceaux : ce n'est pas bon.

ÉLISA. Je ne suis pas de ton avis. M. Max Hubert a 25 beaucoup de talent.

MATHILDE. Il avait, tu veux dire.

ÉLISA. Qu'est-ce que tu as donc contre M. Max Hubert?

MATHILDE. Je le déteste.

ÉLISA. Parce que?

MATHILDE. Parce qu'il t'a fait du chagrin.

5 ÉLISA. A moi?

MATHILDE. On a beau être une petite fille, on voit bien des choses.[1]

ÉLISA. Et qu'est-ce que tu as vu?

MATHILDE. J'ai vu qu'autrefois tu aimais M. Hubert.

10 ÉLISA. Tu es folle.

MATHILDE. J'en suis sûre; tu l'aimais.

ÉLISA. Qui est-ce qui a laissé traîner[2] le verbe *aimer* dans la maison? Voilà une petite fille qui l'a trouvé et qui ne sait pas ce que c'est.

15 MATHILDE. Prends la chose en riant, je le veux bien; il n'en est pas moins vrai que, si tu ne t'es pas mariée, c'est que tu voulais être la femme de M. Hubert ou n'être la femme de personne.

ÉLISA. Je ne me suis pas mariée parce qu'une fille sans 20 dot ne se marie pas, et c'est ainsi que j'ai atteint les vingt-quatre ans que j'ai aujourd'hui. Quant à M. Hubert, la preuve qu'il ne m'aimait pas, c'est qu'il a épousé une femme riche. Peut-être, s'il eût eu le courage de supporter quelques années de misère, fût-il devenu ce qu'il promettait 25 d'être, un homme de génie. Au lieu de cela, il s'est endormi dans le bien-être[3] et n'a plus fait en art ce qu'il était appelé à faire.[4] Selon moi, un artiste doit rester maître de sa vie, la première condition de l'art étant la liberté. S'il se rencontre une femme assez folle pour l'aimer, assez heureuse 30 pour être aimée de lui, elle doit lui sacrifier son existence tout entière, sans lui rien demander en échange. Telles sont.

petite fille, mes idées sur les artistes en général et sur M. Hubert en particulier. Tu n'es pas tout à fait d'âge à les comprendre : mieux vaut même que tu ne les comprennes jamais. La vie ne t'a encore rien demandé ; tu es jeune, tu es riche, tu épouseras un homme de ton choix et tu seras 5 une bonne épouse et une heureuse mère, pendant que d'autres subiront leur destinée comme Dieu l'aura voulu. Quels yeux tu ouvres ! [1]

MATHILDE. Je t'écoute.

ÉLISA, *l'embrassant.* Ferme les yeux alors, j'ai fini. 10 Qu'est-ce que tu tiens là ?

MATHILDE. Ce sont les comptes de la semaine, c'est la note [2] du boucher, du boulanger. . .

ÉLISA. Eh bien, fais tes comptes ; il faudra que tu saches compter, si tu épouses ton cousin. 15

MATHILDE. Qui t'a dit ?

ÉLISA. Moi aussi, j'ai des yeux, et je vois.

MATHILDE. Où vas-tu ?

ÉLISA. Je vais me coucher.

MATHILDE. Reste donc un peu. 20

ÉLISA. Tu voudrais me faire causer, mais c'est inutile ; je ne veux rien savoir et je ne veux rien dire. D'ailleurs, voici ta mère.

SCÈNE IX

LES MÊMES, MADAME DURIEU.

MADAME DURIEU, *entrant.* Eh bien, as-tu tes notes ?

MATHILDE. Oui, maman. 25

ÉLISA. Bonsoir, madame.

MADAME DURIEU, *l'embrassant.* Bonsoir, chère enfant. *Élisa sort.*

SCÈNE X

MADAME DURIEU, MATHILDE.

MADAME DURIEU. Voyons. (*Elle examine les notes.*) « Boulanger, vingt francs. Boucher, quatre-vingt-dix francs ... Épicier. . . »

ACTE DEUXIÈME

Même décor.

SCÈNE I

MADAME DURIEU, RENÉ.

RENÉ, *entrant.* Bonjour, ma tante.

5 MADAME DURIEU. Bonjour, cher enfant.

RENÉ. Mon oncle n'est pas là ?

MADAME DURIEU. Il va venir ; mais je suis bien aise de te voir seul un moment, pour te dire, mon cher René, ce que je n'ai pas pu te dire l'autre jour, c'est que je ne suis 10 pour rien dans [1] les petites combinaisons de ton oncle.

RENÉ. Que, du reste, je ne m'explique guère.

MADAME DURIEU. Ton oncle te les expliquera. Tout cela le regarde. Il m'est interdit de me mêler de quoi que ce soit dans la maison, si ce n'est des économies. Ta mère 15 et moi, nous étions sœurs, mais pas du même lit. Madame de Charzay avait une petite fortune qui lui venait de sa mère et elle a épousé ton père qui l'adorait. Moi, je menaçais fort de rester fille,[2] quand M. Durieu s'est présenté. C'était un bourgeois, mais il était riche, et il n'avait pas de concurrents. Mon père, qui était bien en cour,[1] lui promit une place de préfet et le titre de baron. Le roi l'avait autorisé à faire cette double promesse. Le mariage eut lieu, et six mois après, la révolution de Juillet[2] éclata, la veille du jour où M. Durieu allait être nommé. 5

RENÉ. Je comprends : il ne vous a jamais pardonné la révolution de Juillet.

MADAME DURIEU. Et il m'a fait sentir que je n'étais rien, malgré mes aïeux, qu'une pauvre fille qui a eu le bonheur d'épouser un homme riche. Il n'y a pas à lutter, vois-tu, 10 contre la supériorité que donne dans le ménage, à l'un des deux époux,[3] l'argent qu'il apporte à l'autre. Ma délicatesse m'exagéra peut-être ma dépendance, mais j'en arrivai à reconnaître que mon mari était dans son droit. Sans lui, aurais-je seulement les domestiques qui me servent? J'au- 15 rais donné des leçons dans ma jeunesse, comme Élisa, et, après, que serais-je devenue? car que deviendra-t-elle? Mes enfants eux-mêmes me semblent moins à moi qu'à leur père, car, si je leur ai donné la vie, il leur donne plus que moi en leur donnant le moyen de vivre. Depuis vingt-deux ans, je 20 fais les comptes, je les lui remets, je les paye, et je n'ai pas cent francs à moi dont je puisse disposer librement, à moins que je ne vende un des derniers bijoux qui me restent de ma mère, comme je l'ai fait dernièrement pour payer à M. Giraud les cinq cents francs que mon fils lui avait em- 25 pruntés. Voilà, mon cher enfant, ce qu'on appelle un bon mariage.

RENÉ. Mais je m'explique maintenant la présence de M. Giraud dans votre maison.

MADAME DURIEU. Gustave l'a connu à Marseille, dans 30 un cercle, et lui a emprunté cinq cents francs qu'il ne pou-

vait lui rendre. Il lui a donné une lettre pour moi et m'a priée d'acquitter cette dette. Je n'avais pas ces cinq cents francs ; je suis devenue l'obligée de M. Giraud, malgré moi. Pendant le temps qu'il m'a fallu pour me procurer de l'ar-
5 gent, il s'est implanté dans la maison et s'est mis au mieux avec [1] M. Durieu, en lui promettant de lui faire gagner de l'argent.

RENÉ. Toujours la même chose.

MADAME DURIEU. Maintenant, cher enfant, tout ceci est
10 entre nous. Voici ton oncle.

SCÈNE II

LES MÊMES, DURIEU.

DURIEU, *à René*. Ah ! tu es exact, mon garçon. . .

RENÉ. Vous m'avez écrit de venir à onze heures, il est onze heures précises, bien que votre pendule marque onze heures un quart.

15 DURIEU. La pendule avance donc ?

MADAME DURIEU. Oui, mon ami.

DURIEU. Depuis quand ?

MADAME DURIEU. Depuis quelque temps déjà.

DURIEU. Il faut faire venir le marchand qui l'a vendue.

20 MADAME DURIEU. Il y a quinze ans que nous avons cette pendule, mon ami.

DURIEU. Qu'importe ! Le marchand l'a garantie.

MADAME DURIEU. Mais le marchand est mort.

DURIEU. Il doit avoir un successeur. Avez-vous écrit les
25 lettres que je vous avais priée d'écrire ?

MADAME DURIEU. Oui, j'ai écrit à votre tailleur de changer la doublure de votre paletot de l'année dernière.

DURIEU. Et au cordonnier?

MADAME DURIEU. Je lui ai commandé, pour vous, deux paires de grosses [1] bottines à double semelle.

DURIEU. C'est cela. Qu'est-ce que je voulais donc vous dire encore? . . . Ah! . . . la blanchisseuse vous attend. 5

MADAME DURIEU. J'ai pris en note [2] ce que vous m'avez dit.

DURIEU. Il me manque un mouchoir, et elle m'a rendu un gilet de dessous qui n'est pas à moi. C'est la même marque, mais ce n'est pas la même étoffe. Le gilet qu'elle 10 m'a rendu est en croisé de coton [3] et les miens sont en finette.[4] C'est bien facile à reconnaître; je ne comprends pas qu'il y ait eu une erreur.

MADAME DURIEU. Elle sera réparée. *Elle sort.*

SCÈNE III

RENÉ, DURIEU.

DURIEU. Tu es intrigué. 15

RENÉ. Je l'avoue.

DURIEU. Alors, je ne vais pas y aller par quatre chemins.[5] Tu as de l'esprit et tu es un bon garçon!

RENÉ. Oui, mon oncle.

DURIEU. Et tu sais bien que j'ai de l'amitié pour toi. 20

RENÉ. Non, mon oncle.

DURIEU. Tu en doutes?

RENÉ. Votre amitié n'irait pas jusqu'à me prêter vingt-cinq mille francs.

DURIEU. Naturellement; mais il y a d'autres preuves 25 d'amitié à donner que celle-là.

RENÉ. Et moins chères. . . Tranquillisez-vous; du reste, je ne compte pas vous emprunter d'argent.

DURIEU. Oh ! je connais tes principes, tu es un garçon sérieux. J'ai reçu ta lettre ; c'était bien ce que je t'avais demandé, mais ce n'est pas tout.

RENÉ. A votre service.

5 DURIEU. Ce que tu m'as écrit là, il faudra le dire à quelqu'un, mais plus clairement. Ta lettre n'était qu'un tirailleur ; le coup a porté, il faut maintenant une charge à fond de train.[1]

RENÉ. Vos métaphores me font trembler, mon oncle ! 10 expliquez-vous.

DURIEU. Tu connais ma position vis-à-vis de ta tante.

RENÉ. Est-ce que vous allez vous plaindre d'elle?

DURIEU. Non ; mais ta tante n'a pas eu de dot comme madame de Charzay, je l'ai donc épousée pour elle seule ; 15 c'est une bêtise que j'ai faite.

RENÉ. Vous avez des résumés biographiques qui sont d'un grand bonheur.[2] Votre femme est un ange.

DURIEU. Certainement ; c'est une très digne femme, mais elle aurait eu un peu de bien à elle que cela n'aurait 20 rien gâté.[3] Si elle n'a pas toujours été heureuse avec moi, c'est à cause de cela ; je l'ai bien vu, je le vois bien encore, j'en souffre, mais qu'y faire?

RENÉ. C'est magnifique.

DURIEU. Tu dis?

25 RENÉ. Rien, mon oncle ; continuez.

DURIEU. C'est pour en arriver à ceci : qu'une fille sans dot qu'épouse un homme riche fait une aussi grande sottise, en croyant faire un bon mariage, qu'une fille riche en épousant un homme pauvre. Il faut que les deux 30 époux apportent autant l'un que l'autre ; c'est une garantie réciproque. Qu'est-ce que c'est qu'un homme qui accepte de devoir[1] toute sa fortune à une femme? Quand la société. . .

RENÉ. Si nous nous asseyions,[2] mon oncle?

DURIEU. C'est vrai, nous serions mieux. (*Il s'assied avec René.*) C'est moi qui ai payé l'éducation de mes 5 enfants, c'est de moi qu'ils hériteront, c'est moi qui les doterai, il est donc tout naturel que je ne les laisse pas faire, le jour où ils se marieront, la sottise que j'ai faite.

RENÉ. C'est très juste. Après?

DURIEU. Tu es de mon avis? 10

RENÉ. Parbleu![3] Si vous me dites ces choses-là, c'est pour que je sois de votre avis; sans cela, au train dont va la conversation, nous n'en finirions jamais.

DURIEU. Il n'est qu'onze heures dix.

RENÉ. C'est bien commencer la journée. 15

DURIEU. Je n'ai rendez-vous avec Giraud qu'à midi.

RENÉ. Ne vous gênez pas alors.[4]

DURIEU. Allons droit au but. J'ai trouvé un parti excellent pour ta cousine.

RENÉ. Tant mieux. 20

DURIEU. Cela te fait plaisir?

RENÉ. Naturellement.

DURIEU. Mais, quand j'en ai parlé à Mathilde, sais-tu ce qu'elle m'a répondu?

RENÉ. Non. 25

DURIEU. Qu'elle t'aimait et qu'elle ne voulait pas être la femme d'un autre.

RENÉ. Ce n'est pas bête.[5] Je serais un mari excellent, moi.

DURIEU. Tu serais un mari excellent, mais tu es un parti détestable, entre nous. 30

RENÉ. Ne discutons pas, je suis de votre avis. Alors, vous avez imaginé . . .?

DURIEU. De te prier d'écrire cette lettre où tu m'annonçais...

RENÉ. Que j'allais me marier ! Et vous l'avez montrée à Mathilde ?

5 DURIEU. Oui.

RENÉ. C'est très ingénieux ; qu'est-ce qu'elle a dit ?

DURIEU. Elle a pleuré.

RENÉ. Eh bien, vous avez dû être content ?

DURIEU. Très content ; et elle m'a demandé si je savais
10 qui tu épousais, je lui ai dit que oui.

RENÉ. Et j'épouse ?

DURIEU. La comtesse Savelli.

RENÉ. Très bien. J'avais besoin d'être prévenu.[1] C'est parfait ; avez-vous prévenu le notaire aussi ? il n'y aurait pas
15 de mal non plus à prévenir la comtesse.

DURIEU. C'est inutile, elle est en voyage. D'ailleurs, elle n'a pas besoin d'être prévenue ; elle est de la conspiration malgré elle ; elle t'adore !

RENÉ. Vous croyez ?

20 DURIEU. Tu le sais bien, mon gaillard, et, si j'étais à ta place...

RENÉ. Qu'est-ce que vous feriez ? ...

DURIEU. Je conduirais si bien ma barque...

RENÉ. Que ? ...

25 DURIEU. Que je l'épouserais, parbleu ![2]

RENÉ. Comment ! vous dites qu'un honnête homme ne doit pas tenir sa fortune de sa femme, et vous me conseillez, avec trois mille livres de rente, d'essayer d'épouser une femme veuve, dix fois millionnaire ! Vous avez donc des
30 morales de rechange ?[3]

DURIEU. Qu'est-ce que je demande, moi ? ... que tu sois heureux.

RENÉ. Et que ça ne vous coûte rien.

DURIEU. Pour en revenir à Mathilde, c'est toi qui dois lui faire entendre raison ; c'est toi qui dois lui dire que tu ne veux pas d'elle.[1]

RENÉ. Et comment le lui dirai-je ? 5

DURIEU. Adroitement ; sans avoir l'air de rien.

RENÉ. Je lui dirai : « A propos, tu sais que je ne veux pas de toi . . . » comme ce sera fin !

DURIEU. Non. Tu lui annonceras ton mariage, en causant. Tu es censé ignorer qu'elle a eu connaissance de ta 10 lettre. Tu ajouteras que tu pars, et, pendant quelque temps. . .

RENÉ. Il n'y aurait pas de mal qu'on ne me vît pas ici ! . . .

DURIEU. Oui, elle te croira à Londres avec la comtesse, 15 elle t'oubliera et tout sera dit.

RENÉ. En un mot, vous me flanquez à la porte.

DURIEU. Tu es fou.

RENÉ. Allez toujours,[2] je suis habitué à votre caractère, et, comme vous vous en trouvez bien, vous auriez grande- 20 ment tort d'en changer. C'est convenu, je parlerai à Mathilde.

DURIEU. Aujourd'hui ?

RENÉ. Aujourd'hui même.

DURIEU. Tu es un bon garçon. 25

RENÉ. Vous n'avez pas encore quelque chose de désagréable à me dire, pendant que vous y[3] êtes ?

DURIEU. Non.

RENÉ. Allons, allons, vous êtes fièrement réussi,[4] mon cher oncle. Si jamais vous êtes malheureux, vous, cela 30 m'étonnera bien !

DURIEU. Moi aussi.

SCÈNE IV

LES MÊMES, ÉLISA.

ÉLISA, *entrant.* Le clerc de votre notaire est là, monsieur Durieu.

DURIEU. Je vais le trouver. Et le[1] père, comment va-t-il?

5 ÉLISA. Il m'a amenée. Il est avec madame Durieu.

DURIEU. Vous êtes tout à fait installés chez la comtesse?

ÉLISA. Tout à fait.

DURIEU. Elle est partie?

10 ÉLISA. Il y a trois jours.

DURIEU. Et vous êtes contents?

ÉLISA. Très contents.

DURIEU. Allons, tant mieux. Je suis bien heureux pour vous.

15 ÉLISA. Je vous en remercie.

DURIEU, *à René.* N'oublie pas Mathilde. *Il sort.*

SCÈNE V

ELISA, RENÉ.

ÉLISA, *à René.* On m'a dit que vous étiez là, j'ai voulu vous serrer la main. Vous faites le bien, et vous vous sauvez lâchement. Quel service vous nous avez rendu!

20 RENÉ. C'est à la comtesse que j'en ai rendu un. On la volait; il lui fallait un intendant honnête homme, je lui ai indiqué votre père; elle s'ennuyait et voulait une compagne, une amie sur qui elle pût compter, je vous ai nommée. Je

suis un passant à qui un autre passant demande son chemin, et qui l'indique. Voilà tout.

ÉLISA. Il y a longtemps que nous attendions ce passant-là.

RENÉ. L'occasion m'a manqué longtemps. 5

ÉLISA. Ce n'est pas la première preuve d'affection que vous nous donnez.

RENÉ. Et la comtesse a été gentille?

ÉLISA. Charmante. Nous habitons son pavillon, à l'entrée du parc, et, l'hiver, nous aurons un étage dans son hôtel 10 de Paris. Nous sommes chez les autres, l'orgueil en souffre un peu, mais il est impossible de faire le bien avec plus de grâce et de respect de la dignité des gens que ne l'a fait la comtesse. Elle donne quinze mille francs par an à mon père, c'est une fortune ! . . . Mon pauvre père ! je suis si 15 heureuse pour lui ! . . . Tout le monde sait combien il est honnête ; moi seule, je sais combien il est bon. Ses créanciers lui avaient proposé une transaction moyennant[1] dix mille francs ; il pouvait accepter, ces dettes-là ne sont pas les siennes, et, dans quelques jours, il ne devra plus rien. 20

RENÉ. Mais ces dix mille francs?

ÉLISA. M. de Cayolle nous les a promis. Mon père les lui rendra dans le courant de l'année. Enfin, qu'est-ce que je ferai jamais pour vous prouver ma reconnaissance?

RENÉ. Soyez heureuse, c'est tout ce que je vous demande. 25

ÉLISA. Je le suis ; mais il était temps que Dieu se souvînt de nous.

RENÉ. Ça allait mal?

ÉLISA. Oh ! terriblement mal ; mon père se mourait de chagrin, pas pour lui, mais pour moi. Notre position était si 30 différente de celle que nous avions eue jadis ! On s'habitue quelquefois à ne pas avoir d'argent, jamais à n'en plus avoir. On ne croirait pas que des gens d'un certain monde, qui ont été riches, qui ont rendu des services, qui ont eu des amis, peuvent se trouver, un beau jour, sans savoir comment ils dîneront.

5 RENÉ. Ç'a été aussi loin? On ne s'en est jamais douté.

ÉLISA. Je l'espère bien. Vous êtes le seul à qui nous l'aurions avoué, mais vous étiez trop bon. Nous n'osions pas vous le dire. Aujourd'hui, c'est autre chose. Il y a un jour entre autres que je me rappellerai toute ma vie, quand[1] je 10 vivrais cent ans. C'était un dimanche, l'été heureusement; nous nous sommes trouvés littéralement sans un sou. On nous devait encore une vingtaine de mille francs à cette époque, on nous les doit, on nous les devra toujours. Nous avions dîné la veille, d'un petit pâté de douze sous, qui 15 n'était pas gros, mais qui n'était pas bon non plus, et d'une belle carafe d'eau. Il était deux heures, nous n'avions rien pris. Nous connaissions une vieille dame qui nous avait bien souvent invités à venir dîner chez elle, le dimanche, quand nous n'aurions rien de mieux à faire. C'est la for- 20 mule polie avec laquelle on sauvegarde l'amour-propre des pauvres gens à qui l'on veut faire l'aumône de temps en temps d'un dîner. Nous n'y étions jamais allés. Nous prenons notre courage à deux mains[2] et nous partons, à pied, bien entendu, pour Neuilly.[3] Cette dame habitait 25 près de la porte Maillot. Nous arrivons à quatre heures. Nous l'apercevons de loin qui sortait de chez elle, avec sa bonne et son petit chien, et qui s'en allait du côté du pont. Elle ne nous avait pas vus. Nous entrons chez son portier, espérant qu'elle n'allait faire qu'une petite promenade, mais 30 le portier nous dit: «Cette dame vient de sortir pour aller dîner chez sa fille, dont c'est la fête aujourd'hui.» Nous

nous sommes regardés, mon père et moi, vous devinez avec quel sourire, et nous avons repris notre chemin, en passant par les Champs-Élysées, pour nous distraire. Nous nous sommes assis sur un banc pendant une heure et nous avons regardé passer les voitures. Nous ne disions pas un mot. J'avais faim . . . très grand'faim. J'ai compris alors et j'ai excusé bien des fautes, en remerciant Dieu de m'avoir fait le cœur assez fort, pour que l'idée ne me vînt pas de les commettre. Quand nous avons été reposés, nous sommes rentrés chez nous, nous nous sommes bien embrassés, mon père et moi, et nous nous sommes couchés.

RENÉ. Et le lendemain?

ÉLISA. Le lendemain, vous êtes venu nous voir. Aviez-vous deviné notre situation? Je le crois, car vous veniez de toucher la moitié de votre petite rente, et, quand vous avez été parti,[1] mon père m'a montré deux cents francs que vous lui aviez prêtés. Vous nous avez sauvé la vie, monsieur René, et, de plus, vous nous avez porté bonheur, car, quelques jours après, mon père a obtenu la place qu'il demandait, et, j'ai trouvé deux élèves. Voilà de ces services qui lient éternellement les cœurs honnêtes, aussi j'ai pour vous une bien franche et bien solide amitié.

RENÉ. Et moi aussi, je vous aime bien, et je me suis mis en tête que vous seriez heureuse.

ÉLISA. Que voulez-vous donc de plus pour moi?

RENÉ. Nous vous trouverons un mari.

ÉLISA. A mon âge, il est trop tard. Ma vie est finie de ce côté-là.

RENÉ. Quelle plaisanterie! A vingt-quatre ans, on est une jeune femme.

ÉLISA. Non; on est une vieille fille. Du reste, j'ai donné

tout mon avenir à mon passé ; ce serait de l'ingratitude de le lui reprendre, au moment où je vais être heureuse.

RENÉ. Vous changerez d'avis.

ÉLISA. Beaucoup plus tard, peut-être ; mais, maintenant,
5 aujourd'hui, voyez comme les femmes sont exigeantes, je voudrais encore n'épouser qu'un homme que j'aimerais.

RENÉ. Eh bien, vous aimerez un homme et il vous épousera.

ÉLISA. Voulez-vous que je vous dise, pour ne rien ex-
10 agérer, comment je crois que j'en finirai avec la vie?

RENÉ. Dites.

ÉLISA. Quand j'aurai trente-cinq ou quarante ans, à l'âge où je ne pourrai plus parler d'amour sans être ridicule, je rencontrerai un brave homme, veuf, ayant des enfants à
15 élever et désireux de leur donner une seconde mère qui les soigne et les aime [1] sans qu'ils puissent être jaloux d'elle. Mon père, il faut l'espérer, vivra encore, il aura mis honorablement un peu d'argent de côté, j'épouserai cet homme, et je terminerai mes jours dans une province, en faisant de
20 mon mieux pour être utile aux orphelins. C'est encore un beau rôle à remplir, et c'est, entre nous, le seul que je puisse ambitionner.

RENÉ. C'est une idée comme une autre,[2] elle a du bon, et je comprends très bien ce genre de mariage. Un homme
25 et une femme, honorables et intelligents tous les deux, que des circonstances quelconques ont éloignés du mariage pendant la première partie de leur existence, et qui, arrivés à l'âge mûr, mettent en commun des sentiments calmes, une philosophie douce et des goûts analogues, ces gens-là font
30 un acte sensé, qui contient de grandes chances de bonheur. Moi qui n'ai pas l'idée de me marier aujourd'hui, je serais homme à me marier ainsi plus tard.

ÉLISA. Vous le croyez? . . .

RENÉ. J'en suis sûr, et tenez,[1] si, dans dix ans, vous n'avez rien trouvé de mieux, si vous voulez, nous nous marierons. Nous nous retirerons en province avec votre père et un quatrième pour faire un whist, et nous finirons notre vie 5 comme des bourgeois du Marais;[2] je suis sûr que nous serions très heureux. Cela vous va-t-il?

ÉLISA. Est-ce sérieux?

RENÉ. Très sérieux.

ÉLISA. Eh bien, c'est convenu. 10

RENÉ. C'est convenu, si vous ne trouvez pas mieux. Ce serait drôle cependant, si cela finissait ainsi.

ÉLISA. Mais non, cela me paraîtrait tout simple.

RENÉ. Nous avons peut-être dit des folies là[3]. . . Heureusement, personne ne nous a entendus. *Il lui serre la* 15 *main.*

SCÈNE VI

LES MÊMES, JEAN.

JEAN, *entrant au moment où René baise la main d'Élisa.* Je n'ai rien vu! . . .

ÉLISA, *redonnant sa main à René.* Eh bien, il faut que vous voyiez! 20

RENÉ. Quel est ce beau bouquet que vous portez là, monsieur Giraud?

JEAN. C'est un bouquet que j'apportais à mademoiselle, car je voulais aller chez la comtesse, pour causer avec M. de Roncourt. . . (*A Élisa.*) Voulez-vous bien accepter ces 25 fleurs?

ÉLISA. Avec grand plaisir, j'adore les violettes; mais

qu'est-ce qu'il y a donc là, autour de votre bouquet, monsieur Giraud? (*Elle retire un bracelet qui entoure la queue du bouquet.*)

JEAN. C'est un ruban que j'ai fait mettre pour que les
5 fleurs ne se séparent pas.

ÉLISA. Vous pouvez le reprendre, maintenant que le bouquet est arrivé.

JEAN. Vous ne voulez pas accepter ce petit joujou?

ÉLISA. Non, monsieur; pour les gens qui ne peuvent
10 pas le rendre, un cadeau n'a de prix que s'il n'a pas de valeur.[1] Je vais dire à mon père de vous attendre, puisque vous avez à causer avec lui; cela vous épargnera la peine d'aller jusqu'au château. *Elle salue et sort.*

SCÈNE VII

JEAN, RENÉ.

JEAN. Encore une boulette.[2]

15 RENÉ. Oh! oui!

JEAN. Il est pourtant très joli, ce bracelet; qu'est-ce que je vais en faire?

RENÉ. Vous le donnerez à mademoiselle Flora.

JEAN. Vous savez donc? . . .

20 RENÉ. On m'a dit que vous aviez des bontés pour cette demoiselle; je vous en fais mon compliment.

JEAN. Vous la connaissez?

RENÉ. Je l'ai vue.

JEAN. Est-ce que? . . .

25 RENÉ. Je ne lui ai jamais parlé.

JEAN. Ça ne fait rien, elle n'est pas causeuse, on peut même dire qu'elle est bête, mais elle est très jolie, et puis

c'est une fille très connue. Elle a compromis beaucoup d'hommes comme il faut, ça me pose [1]; je l'ai enlevée à ces messieurs du Jockey [2] . . . ça change toutes leurs habitudes; ils sont furieux, mais ils ne peuvent pas lui donner ce que je lui donne. Du reste, je gagne tant d'argent! 5
Comme vous me regardez!

RENÉ. Je vous trouve quelque chose de changé dans la figure.

JEAN. La barbe. . .

RENÉ. Oui. 10

JEAN. Cela me va mieux, n'est-ce pas? . . .

RENÉ. Certainement.

JEAN. Et je suis mieux mis que l'autre jour. L'autre jour, j'étais trop brodé [3] . . . je l'ai bien vu. (*Familièrement.*) Mais j'ai pris modèle sur vous, je ne pouvais pas 15
mieux faire.

RENÉ. Vous me comblez!

JEAN. Vous me plaisez beaucoup.

RENÉ. C'est trop! c'est trop!

JEAN. Et ça vous profitera. Voyons, causons de vos 20
petites affaires. Est-ce qu'un homme de votre nom doit végéter avec trois mille livres de rente? Vous avez un capital de soixante mille francs, c'est énorme! et dire que ça vous rapporte 5 pour 100. Vous me faites l'effet d'un homme qui s'obstinerait à prendre les gondoles [4] pour aller 25
à Versailles,[5] au lieu de prendre le chemin de fer. Le 5 pour 100, c'est le coucou [6] obstiné de la finance; qui est-ce qui va en coucou, aujourd'hui?

RENÉ. Ceux qui ont peur de sauter sur le chemin de fer.

JEAN. Est-ce qu'on saute? Je sais comment vous avez 30
été élevé, moi; est-ce que vous êtes fait pour vivre comme

un surnuméraire? [1] Vous êtes fait pour avoir des voitures, des chevaux, des domestiques, des châteaux, des chasses.[2] Est-ce que moi, le fils de votre ancien jardinier, je puis souffrir que vous alliez à pied, quand je me promène en
5 phaéton avec des chevaux de douze mille francs que je ne sais pas conduire, et deux domestiques qui se demandent pourquoi ils sont derrière et moi devant? A ma place, beaucoup seraient enchantés de vous humilier et de faire sonner [3] bien haut devant vous quelques millions qu'ils au-
10 raient gagnés; moi pas, et je vous ferai votre fortune, ou j'y perds mon nom, et je me fais appeler de la Giraudière.

RENÉ. Je vous remercie, mon cher monsieur Giraud. Ma vie est arrangée, je la garde comme elle est.

JEAN. Enfin,[4] si un jour l'envie vous en prend, donnez-
15 moi la préférence. En attendant, il faut que nous nous voyions. Entrez chez moi de temps en temps, aux Champs-Élysées, c'est le chemin de tout le monde. . . Vous verrez mon hôtel, et je vous montrerai mes tableaux et mes statues, parce qu'on m'a dit qu'un homme, dans ma position, devait
20 avoir le goût des arts. Je n'y entends rien du tout; j'ai payé tout ça très cher, mais je crains bien que cela ne vaille pas grand'chose. Vous me direz ce que vous en pensez, vous me donnerez vos conseils. Je voudrais arriver à me faire une autre société que celle que je vois. Le matin, ça
25 va encore [5]: il vient des hommes à peu près comme il faut,[6] pour que je leur fasse gagner de l'argent, car l'argent est l'argent, voyez-vous, ça attire toujours; mais ces gens viennent chez moi comme ils vont chez leurs maîtresses, en se cachant. Quant à ceux qui viennent ouvertement me visiter et même
30 qui se vantent de me reconnaître, il faut voir ce que c'est! Un tas de bonshommes qui me boivent mon vin, qui fument

mes cigares, et qui m'empruntent mon argent ! Et les lettres qu'on m'écrit ! Et les gens qui ont fait des découvertes et qui veulent s'associer avec moi ! Et le chantage au suicide ! [1] Ceux qui vont se poignarder si je ne leur envoie pas dix mille francs ! Et les aveux que je reçois, et les infamies dont je suis le confident ! Non ! il n'y a qu'un homme qui a fait fortune tout à coup qui puisse savoir ce qu'il y a de gredins à Paris.

RENÉ. Le fait est que vous devez voir des choses curieuses.

JEAN. Ne m'en parlez pas ; mais, maintenant que j'ai tâté [2] des gens du monde, tous les gueux que je connais, je veux les flanquer à la porte. Me voilà déjà reçu chez M. Durieu et chez la comtesse Savelli ; vous savez que j'ai été la voir avant son départ. . .

RENÉ. Ah ! . . .

JEAN. Oui, tout bonnement. . . Ça n'est pas bête, hein ?

RENÉ. Elle vous a reçu ? . . .

JEAN. Parbleu ! j'avais appris qu'elle était gênée ; je savais bien où j'allais ; je lui ai offert de lui faire gagner de l'argent ; et qu'elle a été bien contente ! Or donc, reçu chez M. Durieu, reçu chez la comtesse, mon affaire sera faite.[3] La bourgeoisie d'un côté, la noblesse de l'autre, je touche à tout, et je suis lancé. Il ne me manquerait plus qu'une liaison avec une femme comme il faut : c'est cela qui me poserait.[4] Cette comtesse Savelli est charmante.

RENÉ. Entre nous, n'y comptez pas.

JEAN. Ils sont trop verts,[5] oui. Ce que j'ai de mieux à faire alors décidément, c'est de me marier ; qu'en pensez-vous ?

RENÉ. Vous êtes dans le vrai.

JEAN. Ah ! voyez-vous, je savais bien que j'avais une bonne idée.

RENÉ. Auriez-vous déjà des vues sur quelqu'un ?

JEAN. Si je voulais, je n'aurais pas besoin de chercher
5 bien loin. . . Votre cousine. . .

RENÉ. Mathilde ?

JEAN. Oui, son père m'en a touché deux mots sans en avoir l'air.[1] Il aime l'argent, le papa Durieu ; car, s'il me donnait sa fille, ce ne serait pas pour mes beaux yeux.[2]

10 RENÉ. Ah ! Eh bien ?

JEAN. Eh bien, moi, je fais la sourde oreille.

RENÉ. Pourquoi ?

JEAN. Je suis un parvenu, je suis le fils d'un jardinier, je suis tout ce qu'on voudra, mais je ne suis pas un imbécile,
15 puisque j'ai fait fortune ; et, si je me marie, je ne veux pas d'une femme qui se croira quitte envers moi en m'apportant deux ou trois cent mille francs ; qu'est-ce que c'est que ça ?[3] . . . et qui fera sauter[4] mes petits millions dans une fricassée de dentelles, de cachemires et de diamants tout en
20 me faisant la grimace, pendant que je tiendrai la queue de la poêle.[5] Non, il me faudrait une fille simple, heureuse de tout me devoir et que j'irais découvrir dans son obscurité, une fille comme mademoiselle de Roncourt.

RENÉ. C'est bien pensé.

25 JEAN. N'est-ce pas ?

RENÉ. Mais vous ne connaissez mademoiselle de Roncourt que depuis bien peu de temps.

JEAN. Qu'est-ce que cela fait ? . . . Les gens comme moi, habitués à jouer des sommes importantes sur le moindre
30 événement, décident de leur vie en cinq minutes ! Et puis je la trouve charmante ! Ce n'est plus une toute jeune fille ;

elle a de l'esprit, elle est de noblesse ; elle ne voit plus le monde, mais, redevenue riche, elle pourrait le revoir et m'en ouvrirait les portes. Ce serait une recommandation pour moi d'avoir choisi une fille pauvre. Que voulez-vous ! le monde, c'est ma toquade.[1] Les gens comme il faut me tournent la tête. Si mademoiselle Élisa veut de moi, dans quinze jours elle sera ma femme. 5

RENÉ. Vous allez vite.

JEAN. Voilà comme je suis. J'aime au 15, j'épouse au 30.

RENÉ. Mais mademoiselle de Roncourt ne voudra pas de vous. 10

JEAN. Elle aura bien tort.

RENÉ. Vraiment !

JEAN. Elle ne trouvera jamais mieux sous le rapport de l'argent. J'ai dix millions à moi, on peut s'informer à la Banque, comme a fait M. Durieu, et j'en aurai bien d'autres ; il n'y a que le premier qui coûte. Je tiens mon affaire maintenant, je veux enfoncer tous les banquiers de la routine.[2] J'ai des projets, des combinaisons gigantesques et très simples ; seulement, c'est un bouleversement complet dans le système financier. En attendant, je suis amoureux de mademoiselle de Roncourt et je veux l'épouser. Mais, dites-moi, elle a l'air bien sentimental, cette fille-là. Entre nous, croyez-vous qu'elle soit arrivée à son âge, sans? . . . 15 20

RENÉ. Sans quoi? 25

JEAN. Sans accroc?

RENÉ. Monsieur Jean !

JEAN. C'est que, si j'y mets le prix,[3] je voudrais au moins être sûr. . .

RENÉ. Je crains que vous vous donniez beaucoup de peine pour rien, monsieur Giraud. Mademoiselle de Ron- 30 court est une honnête fille, d'abord, et qui n'a pas besoin de se marier pour sortir des embarras pécuniaires où son père et elle se trouvaient hier encore.

JEAN. Qu'arrive-t-il donc?

5 RENÉ. M. de Roncourt est depuis trois jours intendant de la comtesse Savelli avec quinze mille francs d'appointements.

JEAN. Tiens, tiens ! C'est donc pour cela qu'il m'a écrit de venir lui parler aujourd'hui chez la comtesse. Mais, savez-10 vous que c'est une rude affaire [1] pour lui, et que, s'il est malin, il fera sa fortune?

RENÉ. Je ne sais pas si c'est un malin, mais c'est un honnête homme.

JEAN. En affaires, il faut plus de malice [2] que d'autre 15 chose.

RENÉ. Qu'est-ce que c'est donc que les affaires, monsieur Giraud? . . .

JEAN. Les affaires, c'est bien simple, c'est l'argent des autres.[3]

SCÈNE VIII

LES MÊMES, MATHILDE.

20 MATHILDE. Mon père va venir, monsieur Giraud; il m'a chargée de vous prier de l'attendre. Vous permettez que je dise un mot à mon cousin?

JEAN. Comment donc, mademoiselle! deux si vous voulez; je vais faire des comptes pendant ce temps-là.

25 MATHILDE, *à René*. Tu te maries?

RENÉ. Oui.

MATHILDE. Mon père m'a appris cette nouvelle.

RENÉ. Je lui en ai parlé.

MATHILDE. Qui épouses-tu?

RENÉ. Une jeune fille.

MATHILDE. Ah ! je croyais que c'était une veuve riche?

RENÉ. Très riche. 5

MATHILDE. Son nom?

RENÉ. Il ne m'est pas encore permis de le dire.

MATHILDE. Tu sais que je ne crois pas un mot de tout cela !

RENÉ. C'est pourtant la vérité. 10

MATHILDE. Non ; tu veux être agréable à mon père, qui t'a demandé de jouer cette comédie, mais elle est indigne de toi.

RENÉ. Écoute, ma chère enfant, ton père. . .

MATHILDE. Mon père t'a dit que je t'aimais. . .

RENÉ. Comme toutes les petites cousines aiment leurs 15 petits cousins. C'est si commode pour une fille de ton âge de ne pas faire changer de place à son cœur et d'être toute transportée pour l'amour ; mais ces amours-là passent vite ; ce sont les lilas de la vie.

MATHILDE. De la poésie ! . . . Décidément, tu ne m'aimes 20 pas, n'en parlons plus. Je ne te menace pas de me tuer ni d'entrer dans un couvent, ni même de ne me marier jamais ; je ferai, au contraire, tout mon possible pour t'oublier ; mais je veux que notre conversation, qui aura une si grande influence sur ma vie, en ait une sur la tienne. 25

JEAN, *écrivant, à lui-même.* Timbre et courtage. . .

MATHILDE. Me promets-tu de suivre le conseil que je vais te donner?

RENÉ. Je te le promets.

MATHILDE. Toutes les femmes qui te connaîtront t'aimeront. 30

RENÉ. Toutes?

MATHILDE. Oui. Tu représenteras, pour elles comme pour moi, le bonheur, parce que tu es le bien.[1] Tu en aimeras certainement une un jour, car tu as ton[2] cœur 5 comme tout le monde; tu es jeune, intelligent, de bonne famille, franc et loyal, il ne te manquera donc qu'une chose: l'argent. Tu es fier, tu as raison de l'être; si tu aimais une fille pauvre, tu ne le lui dirais pas, car tu ne serais pas assez riche pour la rendre heureuse.

10 RENÉ. C'est vrai.

MATHILDE. Si tu aimais une fille riche, tu le lui cacherais, pour ne pas même être soupçonné d'un calcul. Si tu étais riche, tu aurais peut-être pensé à m'aimer, tu m'aimerais peut-être; je serais peut-être heureuse. Tu vois que je 15 ne suis plus tout à fait la petite cousine. Juge, par l'émotion que tu éprouves en ce moment, de celle que tu éprouverais s'il te fallait renoncer à une femme que tu aimerais parce qu'elle serait plus riche que toi. Eh bien, puisqu'il n'y a entre toi et ton bonheur à venir qu'un obstacle d'ar- 20 gent, fais ta fortune; cela doit être facile, il y a tant de sots qui s'enrichissent.

JEAN, *comptant toujours*. Six mille quatre cent cinquante-deux francs quinze centimes.

RENÉ. Tu as raison.

25 MATHILDE. Tu te mettras à l'œuvre?

RENÉ. Dès demain.

MATHILDE. Et, quand tu seras heureux plus tard, tu te rappelleras que c'est à la petite cousine que tu le dois. Maintenant, donne-moi la main, embrasse-moi bien fort,[3] 30 et, quoi qu'il arrive, comptons toujours l'un sur l'autre. (*Il embrasse Mathilde sur le front.*)

JEAN. Ah çà ![1] ce gaillard-là embrasse tout le monde.

SCÈNE IX

LES MÊMES, DURIEU.

DURIEU. Bonjour, mon cher Giraud.

JEAN. Nous avons à causer.

MATHILDE. Nous vous laissons.

DURIEU, *à René*. Eh bien ? . . . 5

MATHILDE. Eh bien, mon père, René m'a fait entendre raison. Vous pouvez me présenter M. de Bourville quand vous voudrez.

DURIEU. Il va venir tout à l'heure.

MATHILDE. Vous n'aurez qu'à me faire appeler, je vais 10 rejoindre maman. (*Elle sort.*)

RENÉ, *à Durieu*. Vous n'avez plus besoin de moi ?

DURIEU. Non, au revoir.

RENÉ. Merci, adieu ! . . . *Il sort.*

SCÈNE X

JEAN, DURIEU.

DURIEU, *à Jean*. Eh bien, mon maître,[2] quoi de nouveau ? 15

JEAN. J'ai de l'argent à vous remettre.

DURIEU. Ça va donc bien ?

JEAN. Très bien. La liquidation a été bonne. Vous avez acheté cent cinquante actions le quinze, à sept cent soixante-dix ; vous avez revendu fin du mois à huit cent quinze, cela 20 nous fait . . . voyons : cela nous fait six mille sept cent cinquante francs de gain, sur lesquels il faut déduire le courtage et le timbre, c'est-à-dire deux cent quatre-vingt-dix-

sept francs quatre-vingt-cinq centimes. C'est donc six mille quatre cent cinquante-deux francs quatre-vingt-cinq [1] centimes que j'ai à vous remettre. (*Tirant les billets de sa poche.*) Mille, deux mille, six mille . . . quatre cent cin-
5 quante-cinq francs ; rendez-moi deux francs quinze centimes.

DURIEU. Vous n'avez pas de monnaie? [2]

JEAN. Non.

DURIEU, *lui rendant trois francs.* Eh bien, vous me
10 devrez deux francs trois sous.

JEAN, *fouillant à sa poche.* Non pas, non pas. . . Oh ! je suis très régulier en affaires. Attendez donc. . . attendez donc. . . les voici justement. Je ne vous dois plus rien. Maintenant, avez-vous lu notre petit acte de société? [3]

15 DURIEU. Oui.

JEAN. Vous convient-il?

DURIEU. Parfaitement. Mais. . .

JEAN. Nous nous constituerons [4] pour un an d'abord.

DURIEU. Et pendant cette année?

20 JEAN. Vous aurez un quart dans tous les bénéfices.

DURIEU. Et vous évaluez les bénéfices? . . .

JEAN. Pour vous . . . de cent cinquante à deux cent mille francs.

DURIEU. Et je ne mettrais dans la maison. . .

25 JEAN. Que cent mille francs ; c'est assez beau. Seulement, la maison prendra le titre de maison Giraud, Durieu et Cie.

DURIEU. Oui.

JEAN. Commencez toujours [5] par cent mille francs.

30 DURIEU. Mais il faut les avoir.

JEAN. Voulez-vous les avoir vite?

DURIEU. Je ne demande pas mieux.

JEAN. Je vous ai parlé d'une affaire. . .

DURIEU. Oui.

JEAN. Dans laquelle je vous ai conseillé de mettre quarante mille francs. 5

DURIEU. Oui.

JEAN. Vous deviez vendre une part dans des forges qui vous rapportent 7.[1]

DURIEU. C'est vrai.

JEAN. Et vous deviez aller à Paris chercher les quarante 10 mille francs.

DURIEU. J'y suis allé ce matin.

JEAN. Donnez-les-moi, et, dans un mois d'ici, je vous rapporte soixante mille francs au lieu de quarante mille. Ça en vaut la peine ; mais vous comprenez que ce que je fais 15 pour vous, je ne le ferais pas pour un autre.

DURIEU. Mais quelle est l'affaire?

JEAN. Oh ! l'affaire est un secret.

DURIEU. Comment, un secret?

JEAN. Oui. Je suis dans l'affaire, moi ; que cela vous 20 suffise.

DURIEU. Allons, dites-moi ce que c'est.

JEAN. Non !

DURIEU. Vous m'en direz bien un mot? [2]

JEAN. Pas une syllabe, c'est à prendre ou à laisser.[3] 25

DURIEU. Et après?

JEAN. Après?

DURIEU. Oui. Quand nous aurons touché, vous me mettrez au courant.[4]

JEAN. Vous n'en saurez jamais rien. 30

DURIEU. Jamais, jamais?

JEAN. Jamais, jamais. C'est bien plus original. Où trouverez-vous une affaire plus commode? Vous me donnez quarante mille francs, je vous en rends soixante mille; c'est bien simple.

5 DURIEU. Et il faut absolument mettre quarante mille francs?

JEAN. Pas un sou de moins.

DURIEU. C'est que je n'ai pas la somme.

JEAN. Vous n'avez donc pas touché ce matin?

10 DURIEU. Non, l'acquéreur m'a demandé un délai de deux jours.

JEAN. Dans deux jours, il sera trop tard.

DURIEU. Cependant, deux jours. . .

JEAN. Mon cher monsieur, vous sentez bien que l'argent 15 ne peut produire cinquante pour cent en un mois qu'à la condition de profiter immédiatement des circonstances. Nous sommes des brûleurs, nous autres,[1] nous faisons une affaire et nous passons à autre chose. Nous n'avons pas le temps d'attendre les bourgeois qui ont pris l'omnibus. Vous 20 ne voulez pas, n'en parlons plus. . .

DURIEU, *retenant Giraud.* Mais enfin, les affaires sont les affaires, vous le savez aussi bien que moi: si je vous confie mon argent, quelles garanties m'offrez-vous, en somme?

JEAN. Est-ce que je vous offrirais des bénéfices, si je vous 25 donnais des garanties? Si je vous donnais des garanties, votre argent vous rapporterait cinq; passé ce taux-là, on ne garantit rien. Vos garanties, c'est mon intelligence et ma probité: il ne manquerait plus que je vous donne[2] hypothèque sur une de mes maisons pour vous faire gagner vingt mille francs du 30 2 septembre au 1er octobre. Tenez, voulez-vous que je sois franc avec vous?

DURIEU. Oh ! oui.

JEAN. Eh bien, vous avez des malices de bourgeois, cousues de fil blanc :[1] vous avez fait comme tout le monde dans ces derniers temps,[2] vous avez joué à la Bourse ! vous croyant plus malin que les autres, vous avez perdu une trentaine de mille francs et vous voulez vous rattraper. 5

DURIEU. Vous me l'avez offert.

JEAN. Et je vous l'offre encore ; seulement, vous voudriez gagner de l'argent sans vous dessaisir du vôtre : ce n'est pas vous qui avez inventé cela ; vous prévoyez le jour 10 où l'on viendra vous dire que j'ai fait banqueroute,[3] et vous voulez pouvoir répondre : « Je m'en lave les mains, je ne perds pas un sou. » Mais comprenez donc que, si je m'occupe de vous enrichir, c'est que vous pouvez m'être bon à quelque chose. Vous êtes un de mes prospectus, il faut que 15 vous me rapportiez. Sans cela je serais trop bête. Il faut qu'on sache que M. Durieu, l'honorable M. Durieu, a un intérêt dans ma maison ; on aura confiance en moi et l'on m'apportera les capitaux dont toute maison de banque a besoin en dehors des siens : voilà mon calcul. J'ai donc 20 plus d'intérêt à vous enrichir qu'à vous ruiner, et je n'ai point la moindre envie de vous voler vos quarante mille francs ; ça n'en vaudrait pas la peine. Ils ne quitteront pas ma caisse, mais je tiens à les avoir chez moi, sous clef, pour vous lier à moi, pour établir la solidarité des intérêts. 25 Il y a un coup[4] superbe, certain, à faire à la fin du mois : si vous ne voulez pas en être, libre à vous ;[5] si vous le voulez, au contraire, tirez vos quarante mille francs qui sont dans votre poche, je vais me retourner pour ne pas vous voir, et donnez-les-moi. Le mois prochain, vous aurez 30 vingt mille francs de plus. Est-ce fait ? . . .[6]

DURIEU, *mettant la main à sa poche.* On ne peut rien vous cacher.

JEAN. C'est l'A B C du métier. Quel est le banquier qui ne lit pas à première vue sur la figure d'un client qu'il a
5 de l'argent dans sa poche? Voyons, où sont-ils, ces pauvres petits billets?

DURIEU. Les voici.

JEAN, *les prenant.* Ça vous fend le cœur! Voulez-vous les reprendre? il est encore temps. . .

10 DURIEU. Non, gardez-les. Seulement, mon cher monsieur Giraud, rappelez-vous que c'est une partie de la dot de ma fille.

JEAN. Vous voulez m'attendrir, mais n'ayez pas peur, vous les reverrez. (*Il les met dans sa poche.*) Maintenant,
15 je vous quitte.

DURIEU. Où allez-vous?

JEAN. Je vais à mes affaires.

DURIEU. Mais. . .

JEAN. Ah! . . . c'est que vous tenez à ne pas me perdre
20 de vue . . .

DURIEU. Non; mais c'est à cause du petit reçu.

JEAN. Quel petit reçu?

DURIEU. Le reçu de ce que je viens de vous donner.

JEAN. Mon caissier viendra régler cela avec vous.

25 DURIEU. Aujourd'hui?

JEAN. Ou demain.

DURIEU. C'est que, demain, je ne serais pas ici.

JEAN. Après-demain, alors.

DURIEU. Eh bien, non, demain; je puis remettre ce
30 petit voyage, j'attendrai. . . A quelle heure?

JEAN. A neuf heures du matin.

DURIEU. C'est cela. Du reste, j'aurais pu passer moi-même à la caisse.

JEAN, *se mettant à écrire.* Tenez, vous me faites trop de chagrin . . . voilà le reçu. . . Allez vous-même à la caisse quand vous voudrez, et faites passer les écritures.[1] 5

DURIEU. Oui, voyez-vous, c'est plus régulier.

JEAN. Est-ce tout ce que vous désirez? Faut-il vous rendre l'argent, maintenant?

DURIEU. Non.

JEAN. Je puis partir, alors? 10

DURIEU. Oui. . . Ah ! à quelle heure s'en va votre caissier?

JEAN. A cinq heures.

DURIEU. Il est une heure et demie. . . Vous avez là votre voiture?

JEAN. Oui. 15

DURIEU. Eh bien, emmenez-moi à Paris, je ferai régulariser la chose tout de suite.

JEAN. Je vous mènerais au bout du monde, si je voulais, avec votre argent dans ma poche. Allons, venez ; mais vous vous serez promené aujourd'hui.[2] 20

ACTE TROISIÈME

Chez la comtesse. — Cabinet de Roncourt.

SCÈNE I

DE CAYOLLE, UN DOMESTIQUE, *puis* RENÉ.

DE CAYOLLE, *entrant.* M. de Roncourt est-il là?[3]

LE DOMESTIQUE. M. de Roncourt est en affaires avec l'avoué de madame la comtesse. Si monsieur veut me dire son nom. . .

DE CAYOLLE. M. de Cayolle. Mais ne le dérangez pas, je vais l'attendre ici. Donnez-moi un journal. Madame la comtesse est-elle de retour?

RENÉ, *entrant.* Pas encore.

5 DE CAYOLLE. Ah! c'est vous, mon cher René; je suis bien aise de vous voir. (*Le domestique sort.*) Avez-vous des nouvelles de la comtesse?

RENÉ. Je ne sais pas ce qui lui est arrivé; elle m'a écrit une lettre lugubre. Elle voulait entrer dans un couvent; 10 mais, le surlendemain, j'ai reçu une nouvelle lettre très gaie où elle m'annonçait qu'elle avait été entendre *la Norma*,[1] que cela lui avait fait beaucoup de bien, qu'elle partait pour l'Écosse[2] et qu'elle serait de retour ici dans une quinzaine de jours.

15 DE CAYOLLE. Quelle charmante folle![3] Et vous êtes venu pour me voir, la semaine dernière? J'ai trouvé votre carte chez moi.

RENÉ. Vous étiez à votre inauguration.

DE CAYOLLE. Oui, nous avons été inaugurer notre nouvel 20 embranchement. Est-ce que vous aviez quelque chose d'important à me dire?

RENÉ. Je voulais vous demander un conseil.

DE CAYOLLE. A votre service. Parlez.[4]

RENÉ. J'ai été pris de l'envie de gagner de l'argent.

25 DE CAYOLLE. C'est une bonne idée . . . qui vient à beaucoup de monde . . . Malheureusement, il n'y a qu'un moyen légitime de se procurer de l'argent, et comme une foule de gens ne veulent pas l'employer, il en résulte une foule de malentendus.

30 RENÉ. Et ce moyen, quel est-il?

DE CAYOLLE. Vous le connaissez aussi bien que moi; c'est le travail.

RENÉ. C'est un coup de patte, en passant. . .

DE CAVOLLE. Contre l'oisiveté. Tenez, prenons le fils de Durieu pour exemple. A quoi sert-il, ce gaillard-là? il ne sait rien, il ne fait rien. . . Si. . . il fait [1] des dettes; n'est-ce pas là une jolie occupation? Savez-vous où il est maintenant? 5

RENÉ. Non.

DE CAVOLLE. Vous n'avez donc pas vu votre oncle?

RENÉ. Il y a quinze jours que je n'ai mis les pieds chez lui. 10

DE CAVOLLE. Eh bien, monsieur son fils est à Clichy.[2]

RENÉ. Le père doit être furieux.

DE CAVOLLE. Il est enchanté, au contraire. Il compte l'y laisser un an, et il a raison; mais n'est-ce pas déplorable qu'un homme de vingt-deux ans, de bonne famille, qui aurait pu utiliser son intelligence, si peu qu'il en ait, débute dans la vie de cette façon-là, et que le père en soit réduit à [3] bénir la prison! Les résultats de l'héritage! Ah! quand nous aurons la conscription civile. . . 15

RENÉ. Qu'est-ce que c'est que cela? [4] 20

DE CAVOLLE. C'est une conscription dont j'ai eu l'idée et qui est la chose du monde la plus simple. Elle servirait de pendant à la conscription militaire, et pourrait même la remplacer, car il est probable que, dans un temps donné, tous les peuples seront unis par les intérêts, les arts, le commerce, l'industrie, et que la guerre disparaîtra du monde. Alors, la société ne demandera plus aux hommes que le tribut de leurs capacités intellectuelles. Quand un homme aura vingt et un ans, l'État viendra le trouver et lui dira: « Monsieur, quelle carrière avez-vous embrassée? que faites-vous pour les autres hommes?— Rien, monsieur.—Ah! . . . 25 30 voulez-vous travailler? — Non, monsieur, je ne veux rien faire.— Très bien ; vous avez donc une fortune? — Oui, monsieur. — Eh bien, monsieur, vous êtes libre de ne pas travailler; mais, alors, il faut prendre un remplaçant. Vous allez donc nous donner tant par an pour que des gens qui n'ont pas de fortune travaillent à votre place, et nous allons vous délivrer une carte de paresse, avec laquelle vous pourrez circuler librement. »

RENÉ. C'est très ingénieux ; mais à quoi occupera-t-on tous ces remplaçants?

DE CAYOLLE. A la terre, qu'on néglige trop. Si cela continuait, dans cinquante ans d'ici, un laboureur [1] coûterait vingt-cinq mille francs par an. Mais tout s'équilibrera et il y aura de la place pour tout le monde, quand tout le monde travaillera.

RENÉ. Mais où prendra-t-on l'argent nécessaire pour payer tous ces travailleurs, car le numéraire ne pourra peut-être pas s'augmenter dans la proportion du travail?

DE CAYOLLE. Ah!... ah!... cela vous intéresse donc, ces questions-là?

RENÉ. Mais oui...

DE CAYOLLE. Quand vous y aurez mis le nez une fois,[2] vous ne voudrez plus en sortir : rien n'est plus attachant que cette question de l'argent, qui est la question de tout le monde. Eh bien, quand le travail, capital sans limite, sera devenu général, comme en effet l'argent, le numéraire, capital limité, serait insuffisant pour représenter le travail, il est probable qu'on supprimera l'argent.

RENÉ, *riant.* Oh! oh!

DE CAYOLLE. Très bien, je m'attendais à cette exclamation. Je l'ai déjà entendue vingt fois.

RENÉ. Mais par quoi remplacer l'argent? Cela me semble impossible.

DE CAVOLLE. Impossible comme toutes les choses à trouver;[1] un jour, cela semblera tout simple comme toutes les choses faites. Tenez, autrefois . . . un Parisien achetait, 5
je suppose, une maison de campagne à Marseille pour cent mille francs. Qu'est-ce qu'il faisait? Il mettait cent mille francs en écus sur une diligence et les expédiait au vendeur en les faisant escorter par deux gendarmes. En route, les voleurs attaquaient la diligence, tuaient les gendarmes et se 10
partageaient l'argent. On renvoyait d'autres gendarmes à la poursuite des voleurs; on se battait encore; enfin, les voleurs étaient pris, on les pendait et la société était vengée. Mais avouez que c'était se donner bien de la peine pour acheter une maison de campagne. Un jour, un monsieur qui avait 15
une forte somme à payer à une grande distance, et qui était un homme honorable, s'est dit: « Mais à quoi bon faire porter cette grosse somme à mon créancier, qui sera forcé lui-même, s'il la doit à une autre personne, de la faire transporter, et ainsi de suite? A quoi bon déranger tant de gendarmes et 20
tant de voleurs? Je vais garder la somme chez moi, et écrire à mon vendeur que je la lui remettrai à sa première réquisition;[2] s'il a la même somme à payer, il enverra ma lettre à qui de droit,[3] et ma lettre pourra faire le tour du monde, sans que le capital change de place. » Ce monsieur avait 25
tout bonnement eu l'idée de la lettre de change, et, à partir de ce jour-là, on commença à s'apercevoir que l'argent n'était rien et que le crédit était tout. Mais je n'en finirais pas, si je voulais vous initier à ces grandes questions, et ce n'est pas de cela qu'il s'agit; vous voulez gagner de l'argent 30
en travaillant?

RENÉ. Oui.

DE CAVOLLE. D'où vous est venue cette résolution?

RENÉ. Elle m'est venue d'une enfant, laquelle m'a fait comprendre par le cœur, comme vous par le raisonnement, 5 qu'un homme de mon âge ne doit pas vivre sans rien faire, et que ce que j'appelais indépendance finirait peut-être par s'appeler égoïsme.

DE CAVOLLE. A la bonne heure.[1] Eh bien, écoutez: je prépare une vaste opération dont je dois remettre les projets[2] 10 au ministre. Il s'agit tout simplement de défricher une partie des terres incultes qu'il y a en France. Venez me voir, et je vous donnerai un rapport à faire sur mon projet. Je vous fournirai tous les documents. Ce rapport vous coûtera beaucoup de peine, car vous n'êtes pas un homme pratique, et 15 vous y direz sans doute beaucoup de folies; mais je verrai bien à quoi vous êtes bon et ce que je pourrai faire de vous.

RENÉ. Voilà tout ce que je voulais; merci. Maintenant encore un mot: que pensez-vous personnellement de Jean 20 Giraud?

DE CAVOLLE. Eh bien, ce Jean Giraud n'est pas bête, il s'en faut. C'est ce qu'on appelle, en affaires, un malin:[3] il est déjà réellement riche; il y a des chances pour qu'il fasse une fortune immense. Il sera peut-être un jour, par ses 25 capitaux et l'élasticité de ses moyens,[4] une des premières puissances brutales avec lesquelles les administrations[5] les plus sérieuses sont quelquefois forcées de compter. Ces puissances-là sont rares; beaucoup, avant d'arriver au but, s'écroulent dans le scandale;[6] mais il en est qui résistent, 30 et alors deviennent incontestables. Pourquoi ces questions sur M. Giraud?

RENÉ. Parce que je tenais à avoir sur lui l'opinion d'un homme comme vous.

DE CAYOLLE. De Roncourt ne vient pas. Je n'ai pas le temps de l'attendre davantage. Vous restez ici?

RENÉ. Oui. 5

DE CAYOLLE. Voulez-vous bien [1] vous charger de lui remettre ce petit paquet? *De Roncourt entre.*

SCÈNE II

LES MÊMES, DE RONCOURT.

RENÉ. Voici M. de Roncourt.

DE RONCOURT. Je suis désolé de vous avoir fait attendre, cher ami, mais j'avais une affaire très importante à terminer. 10 (*A René.*) Bonjour, René.

DE CAYOLLE. J'ai attendu en très bonne compagnie. Je vous apporte. . .

DE RONCOURT. Je comptais passer chez vous aujourd'hui pour vous remercier, cher ami; je n'ai plus besoin de cette 15 somme.

DE CAYOLLE. Vos affaires sont arrangées?

DE RONCOURT. Oui.

DE CAYOLLE. Ne craignez pas de me gêner, mon cher de Roncourt. 20

DE RONCOURT. Cet argent m'est inutile, maintenant; merci encore une fois, et de tout mon cœur.

DE CAYOLLE. N'en parlons plus, et toujours à votre service. (*A René.*) A bientôt, cher ami.

RENÉ. A demain, si vous voulez. 25

DE CAYOLLE. De bonne heure?

RENÉ. De bonne heure.

DE CAYOLLE, *à de Roncourt.* Quand vous verra-t-on, vous?

DE RONCOURT. Dès que j'aurai un moment de libre, j'irai vous serrer la main.[1]

5 DE CAYOLLE. Au revoir. *Il sort.*

SCÈNE III

RENÉ, DE RONCOURT.

DE RONCOURT. J'ai cru que je n'en finirais pas avec cet avoué. . .

RENÉ. Toujours pour les affaires de la comtesse?

DE RONCOURT. Toujours. Elle me les a laissées dans 10 un désordre ! . . . Elle a signé, avec son ancien intendant, des ventes, des locations,[2] des reçus, des hypothèques ! . . . C'est à ne plus s'y reconnaître.[3] Aussi fait-elle des sacrifices énormes pour convertir ses propriétés en valeurs portatives.[4] Elle a pu réaliser cinq cent mille francs qu'elle a confiés à 15 M. Giraud. Quand elle aura tout vendu et tout payé, il lui restera quatre-vingt ou cent mille livres de rente au plus. D'un autre côté, voici ce qui m'arrive, à moi, personnellement. Vous savez que je redevais cent mille francs sur cette déplorable affaire d'autrefois ; il y a trois semaines, 20 on m'offrait une quittance générale contre[5] dix mille francs. C'est cette somme que de Cayolle m'apportait tout à l'heure.

RENÉ. Vous lui avez dit que vous n'en aviez plus besoin.

DE RONCOURT. Parce que, aussitôt que mes créanciers ont appris que j'étais l'intendant de la comtesse Savelli, ils 25 sont revenus sur moi avec une procédure en règle[6] et m'ont réclamé la totalité de la dette, me disant de choisir entre le payement et Clichy.

RENÉ. Mais les propositions qu'ils vous faisaient dernièrement?

DE RONCOURT. Rien de signé, rien de fait. Savez-vous ce que l'homme d'affaires a eu l'aplomb[1] de me dire?... Il m'a dit: « Tant pis pour vous, c'est votre faute; vous 5 avez été trop honnête! »

RENÉ. Quel joli reproche!...

DE RONCOURT. Ils consentent cependant à me laisser tranquille si je prends l'engagement de leur donner dix mille francs par an sur les quinze mille que je gagne. Avant un 10 mois d'ici, la comtesse saura parfaitement à quoi s'en tenir sur sa position, elle me gardera près d'elle, j'en suis certain, mais avec trois ou quatre mille francs d'appointements. Il est vrai que, la comtesse ayant besoin d'argent, on vient tous les jours m'offrir des pots-de-vin[2] pour que je lui fasse faire 15 certains marchés... Oh! si je veux, je peux payer tout ce que je dois en un an, donner une grosse dot à ma fille, et garder dix mille livres de rente pour moi; seulement, la comtesse sera ruinée et je serai un voleur. Ce serait dur de commencer à soixante ans. 20

RENÉ. Mais vous auriez payé; là est toute la morale de l'argent: payez et vous serez considéré.

DE RONCOURT. Vous comprenez, mon ami, qu'au milieu de toutes ces perplexités, mon plus grand souci, c'est l'avenir de ma fille. Sa situation est encore plus inquiétante qu'il y 25 a un mois; si je venais à mourir...

RENÉ. La comtesse...

DE RONCOURT. Ne l'abandonnerait pas, je le sais bien; mais vous connaissez Élisa: consentirait-elle à vivre de la charité? Est-ce là un avenir pour elle? Et la comtesse ne 30 peut-elle pas mourir aussi?

RENÉ. Que faire alors? . . . Si j'étais riche ! . . .

DE RONCOURT. Ah ! cher enfant, si vous étiez riche, je sais bien ce que vous feriez, mais vous ne l'êtes pas. Eh bien, au milieu de toutes ces mauvaises chances, il s'en présente 5 une bonne. M. Giraud aime Élisa, il me l'a dit comme à vous, et il est venu me demander officiellement sa main. Je lui ai répondu que je consulterais ma fille, qui est en âge de disposer d'elle, et il doit aujourd'hui venir chercher sa réponse. Ce n'est pas là le bonheur comme le comprend 10 Élisa, comme je le comprenais pour elle, mais c'est la fortune, c'est la tranquillité de mes vieux jours, c'est le bien-être matériel, c'est plus que tout cela, c'est la revanche [1] d'un passé douloureux. M. Giraud est un parvenu, il est parti de très bas,[2] il a ses ridicules ; mais il est millionnaire, 15 et les millionnaires qui épousent de pauvres filles sont rares dans tous les temps.

RENÉ. Eh bien?

DE RONCOURT. Eh bien, mon cher enfant, elle refuse.

RENÉ. Connaît-elle votre position telle que vous venez 20 de me la dire?

DE RONCOURT. Oui.

RENÉ. Et elle refuse toujours?

DE RONCOURT. Nettement. Je n'ai pas osé insister, moi, son père, craignant de lui imposer un sacrifice au-dessus de 25 ses forces ; je lui en ai déjà bien assez imposé . . . et puis. . .

RENÉ. Et puis? . . .

DE RONCOURT, *avec émotion.* Et puis . . . je n'ai pas de secrets pour vous. . . j'ai eu peur qu'elle n'eût, pour refuser ce mariage, des raisons qu'elle ne pourrait ni ne voudrait me 30 donner.

RENÉ. Que voulez-vous dire?

De Roncourt. Eh ! mon pauvre enfant, on dit et on écrit beaucoup de choses sur l'argent ; on ne connaîtra jamais certaines situations qu'il crée, d'autant plus douloureuses, d'autant plus poignantes, qu'elles doivent rester secrètes. J'ai ruiné ma fille, moi, pour une cause honorable, c'est vrai, 5 mais enfin je l'ai dépossédée de l'héritage de sa mère, je l'ai privée de l'unique moyen que la société offre à une femme pour qu'elle soit heureuse épouse et heureuse mère. Elle ne m'a rien dit, elle ne m'a pas fait un reproche. Elle a accepté le sacrifice avec courage, avec noblesse, avec bonheur.[1] 10 De quel droit viendrais-je aujourd'hui lui demander les comptes de son cœur, à elle qui ne me demande pas les comptes de sa fortune ? L'homme qu'elle aimait paraissait bon et loyal, il avait du talent, de l'avenir ; j'ai tout espéré de son honneur et du temps. Pouvais-je, d'ailleurs, surveiller 15 ma fille minute par minute ? Ne fallait-il pas vivre, ne fallait-il pas que j'allasse, dans un bureau,[2] gagner mon pain de chaque jour, tandis qu'elle gagnait le sien de son côté ? Quand j'ai appris que cet homme allait se marier, quand j'ai vu la douleur d'Élisa, j'ai couru chez ce Max Hubert ; 20 je lui ai demandé, à lui, la vérité que je n'osais pas lui demander à elle ; je l'ai supplié, moi, de ne pas abandonner mon enfant. Il m'a juré que son honneur n'était engagé en rien, qu'il était libre comme elle. Cet homme a-t-il menti ? Oh ! mon pauvre enfant, j'ai bien souffert depuis deux ans ; 25 mais cela me fait du bien, de pouvoir le dire enfin à un homme de cœur comme vous.

René. Je vous remercie de cette preuve de confiance, j'en suis digne, croyez-le. Vous avez raison ; il est des questions si délicates, qu'elles ne peuvent être agitées entre un 30 père et sa fille. C'est là qu'un ami doit intervenir. Voulez-vous que je voie mademoiselle de Roncourt ?

DE RONCOURT. Oui, vous m'avez deviné. Si vous me dites, après votre conversation avec Élisa, que le mariage est impossible, nous n'en parlerons plus.

RENÉ. Je suis certain que vous vous trompez et que tout
5 s'arrangera.

DE RONCOURT. Dieu vous entende ! mais la destinée me poursuit depuis plusieurs années avec une telle obstination, que, par moments, je m'avoue vaincu, et je doute de tout...

LE DOMESTIQUE. M. Jean Giraud.

10 RENÉ. Il n'y a pas de mal que je cause avec lui avant de causer avec elle. (*Il serre la main de M. de Roncourt.*) A tout à l'heure. *De Roncourt sort.*

SCÈNE IV

RENÉ, JEAN.

JEAN, *entrant.* Bonjour, mon cher maître. M. de Roncourt n'est pas là ? . . .

15 RENÉ. Il y était à l'instant.[1] Il va revenir.

JEAN. Eh bien, avez-vous pensé à ce que je vous ai proposé ?

RENÉ. Non. La définition que vous m'avez donnée des affaires[2] ne m'y encourage pas.

20 JEAN. Et vous comptez faire fortune, cependant ; votre cousine me l'a dit.

RENÉ. Non ; je compte augmenter un peu mes ressources, voilà tout.

JEAN. Comment vous y prendrez-vous, s'il vous plaît ?

25 RENÉ. J'essayerai d'utiliser les facultés que Dieu m'a données, le courage, l'intelligence et la probité.

JEAN. Oui, oui, oui ! c'est autre chose, alors ; savez-vous

ce que cela vaut au temps où nous sommes, les facultés que Dieu vous a données? C'est un prix fait comme pour les petits pâtés.[1] Le courage, ça vaut un sou par jour, si vous voulez vous faire soldat; l'intelligence, cent francs par mois, si vous voulez vous faire commis, et la probité, trois mille francs par an, si vous pouvez arriver à être caissier. Maintenant, il y a un moyen de vous enrichir tout de suite et par vous-même . . . Avez-vous une idée? . . . Une simple idée, comme celle qu'a eue un monsieur, un jour, d'acheter en gros, pendant trois ans, aux boulangers de Paris, toute la braise[2] qu'ils vendaient en détail aux petits ménages parisiens. Il a vendu trois sous ce qu'il payait deux, et il a gagné cinq cent mille francs. Ayez une idée de ce genre-là, votre fortune est faite. Mais vous ne l'aurez pas; ces idées-là ne viennent qu'aux gens qui se promènent, l'hiver, à six heures du soir, sous une petite pluie fine,[3] avec un habit râpé, dans des souliers douteux, en regardant s'ils ne trouveront pas dix sous entre deux pavés, et en se demandant comment ils souperont. J'ai passé par là,[4] moi, je sais ce que c'est; mais vous, vous n'êtes pas un pauvre, vous êtes un homme qui n'est pas assez riche. Il y a une fière différence, allez![5]. . . Il est vrai que vous êtes un homme du monde. . . Eh bien, enrichissez-vous comme un grand seigneur. Vous avez bien des ressources que nous n'avons pas. Épousez une fille laide, élevée dans l'arrière-boutique d'un commerçant qui voudra tâter de la noblesse, ou bien encore. . .

RENÉ. Assez, monsieur Giraud. Nous ne nous comprendrons jamais, sur ce sujet du moins. Revenons à vous. Vous voulez, vous, épouser une fille pauvre, c'est là une résolution honorable, si elle est sans arrière-pensée.[6]

JEAN. Quelle arrière-pensée puis-je avoir?

RENÉ. C'est bien parce que vous aimez mademoiselle de Roncourt que vous voulez l'épouser?

JEAN. Oui.

5 RENÉ. Et vous voulez vous faire accepter par le monde [1] dont elle est?

JEAN. C'est tout naturel.

RENÉ. Avez-vous bien réfléchi? Êtes-vous bien décidé? Savez-vous bien à quoi cela vous engage à l'égard du monde

10 dans lequel vous allez entrer?

JEAN. Oui.

RENÉ. Alors, je puis user de l'influence que j'ai sur mademoiselle de Roncourt pour la décider à ce mariage.

JEAN. Comment! la décider?

15 RENÉ. Elle hésite.

JEAN. Pour quel motif?

RENÉ. Quel que soit le motif, il ne peut être qu'honorable. Je le combattrai, je l'ai promis à son père, je vous le promets.

20 JEAN. Eh bien, la voici, je m'en vais retrouver son père; je reviendrai savoir ce qu'elle vous aura dit. . .

ÉLISA, *entrant, à René.* Mon père m'a dit que vous aviez à me parler.[2]

RENÉ. C'est vrai.

25 ÉLISA. Me voici.

JEAN. Mademoiselle. . .

ÉLISA. Monsieur. . .

JEAN. Je vous laisse avec M. de Charzay, puisque vous avez à causer ensemble. *Il salue et sort.*

SCÈNE V

RENÉ, ÉLISA.

ÉLISA. Qu'est-ce que vous avez donc à me dire?

RENÉ. J'ai à vous parler de choses sérieuses. Vous savez ce que vient faire aujourd'hui M. Giraud chez votre père?

ÉLISA. Il vient chercher une réponse à mon sujet. 5

RENÉ. Eh bien?

ÉLISA. Eh bien, j'ai refusé.

RENÉ. Pourquoi?

ÉLISA. Comment! c'est vous qui me le demandez? Parce que, je vous l'ai dit, dernièrement, j'ai encore trop de cœur 10 pour épouser un homme que je n'aime pas.

RENÉ. N'avez-vous consulté personne?

ÉLISA. Dans ces questions-là, on ne prend conseil que de soi-même. Cependant, M. Durieu, sa femme, Mathilde, m'ont conseillé ce mariage au point de vue de mes intérêts. 15 La comtesse, à qui mon père en a écrit, m'a envoyé quatre pages d'exhortations.

RENÉ. On vous a donné là de sages conseils.

ÉLISA. Vous aussi! quelle cause plaidez-vous là?

RENÉ. Je plaide la cause de votre avenir. 20

ÉLISA. Mon avenir est assuré maintenant.

RENÉ. Non, et les embarras sont peut-être plus graves qu'il y a un mois, vous le savez bien.

ÉLISA. Cependant, mon père n'a pas insisté, lui! . . .

RENÉ. Il a eu peur, après votre refus formel, de paraître 25 vouloir vous imposer un sacrifice plus grand encore que celui qu'il vous a demandé autrefois.

ÉLISA. Alors, mon père désire ce mariage?

RENÉ. Votre père voudrait vous voir heureuse.

ÉLISA. Et vous?

RENÉ. Moi, qui comprends tous les dévouements,[1] je lui ai promis de vous décider.

5 ÉLISA. Vous me conseillez d'épouser M. Giraud?

RENÉ. Oui.

ÉLISA. Si vous aviez une sœur, lui donneriez-vous un semblable conseil?

RENÉ. Si j'avais une sœur, je pourrais faire pour elle ce 10 que je ne puis faire pour vous; car, bien que je vous aime comme une sœur, pour le monde vous m'êtes étrangère. Si j'avais une sœur et qu'[2]elle se fût trouvée dans la position où vous vous êtes trouvée il y a deux ans, s'il se présentait pour elle un mariage comme celui qui se présente pour vous, si ce 15 mariage pouvait, à mon point de vue, la rendre heureuse plus tard, et en tout cas lui apporter le bonheur matériel et la tranquillité des dernières années de son père, je lui prendrais les mains et je lui dirais: «Ce n'est pas le bonheur tel que tu l'avais rêvé, mais c'est peut-être la seule compensation 20 que la vie puisse t'offrir aux chagrins du passé, marie-toi, à moins. . .»

ÉLISA. A moins? . . .

RENÉ. «A moins que l'amour que tu as éprouvé autrefois ne te mette dans l'impossibilité de te marier jamais. . .» Et 25 comme elle serait ma sœur, comme elle saurait qu'elle n'a pas de meilleur ami que moi, elle me dirait le secret de sa vie qu'elle n'a pu dire à son père, et . . .

ÉLISA. Et, conseillée par un frère aussi dévoué, elle pourrait peut-être se marier . . . quand même,[3] n'est-ce pas?

30 RENÉ. Élisa! . . .

ÉLISA. Vous vous êtes dit: «Voilà une fille qui a probablement commis une faute ; moi qui suis un honnête homme, je l'épouserais peut-être malgré ce qu'on a pu dire, mais plus tard, dans dix ans, à l'âge où l'on ne demande plus compte à une femme de son passé ;» et vous avez fait dernièrement à la pauvre fille l'aumône d'une espérance. Mais aujourd'hui, 5 il se présente un homme riche, le fils d'un ancien valet de votre père, peu importe, qui me fait l'honneur de me demander en mariage : c'est un grand bonheur pour moi ; et M. Giraud est bien bon, en effet, car une fille pauvre, cela ne s'épouse pas, cela s'achète. J'aurais donc bien tort de 10 ne pas l'épouser. C'est juste, je n'avais pas pensé à tout cela, et je dois me trouver trop heureuse ! Merci, monsieur de Charzay, vous m'ouvrez les yeux ; je ne voyais pas la vie sous cet aspect ; un mot de vous a fait plus sur moi que n'auraient fait peut-être les prières de mon excellent père. 15 (*Elle sonne.*) Eh bien, c'est dit. . . [1]

RENÉ. Que faites-vous ? . . .

ÉLISA. Je suis le conseil que vous venez de me donner. (*Au domestique qui entre.*) Priez mon père et M. Giraud de se rendre ici. *Le domestique sort.* 20

RENÉ. Adieu !

ÉLISA. Oh ! ne vous en allez pas ; je veux que tous ceux qui ont intérêt à mon bonheur sachent clairement à quoi s'en tenir sur ma vie. *De Roncourt et Giraud entrent.*

SCÈNE VI

LES MÊMES, DE RONCOURT, JEAN.

ÉLISA, *allant à Jean.* Monsieur, mon père m'a communiqué la demande que vous lui avez faite de ma main ; êtes-vous toujours dans les mêmes intentions ? 25

JEAN. Toujours, mademoiselle. . .

ÉLISA. En échange de cette preuve d'estime et de confiance, dont je vous serai éternellement reconnaissante, quoi qu'il arrive, preuve que pouvait seul donner à une fille sans
5 fortune un homme qui, lui aussi, a connu la misère, j'ai à vous donner, moi, une preuve de franchise et de loyauté, après laquelle vous serez encore libre de reprendre votre parole. Cette confession, je vous la fais devant mon père et M. de Charzay, qui est après mon père mon meilleur ami.
10 J'ai dû épouser,[1] il y a trois ans, un homme que j'aimais. Toutes mes espérances s'étaient réfugiées dans cet amour; car, ruinée tout à coup, j'avais vu en un instant s'éloigner de moi tous ceux qui, la veille, recherchaient ma main, remplacés par les gens qui ont le courage d'apprendre à une
15 pauvre fille que la misère et la beauté sont encore une fortune pour elle. L'homme que j'aimais était pauvre, il avait tout son avenir à faire; je voulus attendre pour devenir sa femme que, mon père ou moi, nous eussions retrouvé une position qui nous permît de n'imposer aucune charge à mon
20 mari. Cette situation dura un an; pendant un an, mon fiancé fut reçu par mon père comme un fils, par moi comme un frère. Au bout d'un an, ses tentatives vers la fortune n'avaient rien produit. Il était bon, mais il était faible; la lutte le décourageait. Il était aimé d'une fille riche dont la
25 famille l'agréait. Il me dit de prononcer sur sa destinée; je lui rendis sa parole. Le monde jugea et commenta ma conduite de différentes façons, et des cœurs qui m'étaient restés chers ont peut-être douté de moi. Voilà le passé, monsieur; quant à l'avenir, je puis affirmer que je serai ce que j'ai tou-
30 jours été, une honnête femme.

JEAN, *à de Roncourt.* Monsieur de Roncourt, je vous renouvelle ma demande. Voulez-vous m'accorder la main de votre fille?

ÉLISA, *à de Roncourt.* Êtes-vous content, mon père?

DE RONCOURT. Chère enfant. . .

JEAN, *à René.* Eh bien? 5

RENÉ, *à Jean.* Vous vous conduisez comme un galant homme,[1] monsieur Giraud.

JEAN. Vous m'approuvez? . . .

RENÉ. De tout mon cœur. . .

JEAN, *à part.* Comme ils sont émus tous! ces gens-là 10 sont plus forts que toi, mon ami Giraud; ils t'ont mis dedans.

ACTE QUATRIÈME

Salon chez la comtesse.

SCÈNE I

LA COMTESSE, MATHILDE, MADAME DURIEU, DURIEU.

MADAME DURIEU. Que c'est aimable à vous, chère comtesse, de nous avoir fait prévenir tout de suite de votre arrivée! Vous avez fait un bon voyage? 15

LA COMTESSE. Excellent! Et vous, mon cher monsieur Durieu, vous vous êtes toujours bien porté?

DURIEU. Toujours; j'ai une santé de fer.

LA COMTESSE. J'espère qu'il s'est passé des événements, en mon absence. 20

MADAME DURIEU. Et très heureux tous.

DURIEU. Mademoiselle de Roncourt va faire un mariage superbe.

MADAME DURIEU. C'est vous qui leur avez porté bonheur, au père et à la fille.

LA COMTESSE. Le père est un bien digne homme. Il a débrouillé mes affaires avec une intelligence et une loyauté
5 inappréciables ; aussi. . .

DURIEU. Il y a des gens comme cela ; ils ne font bien que les affaires des autres.

LA COMTESSE. Et M. de Charzay, qu'est-il devenu?

MADAME DURIEU. Il y a longtemps que nous n'avons
10 entendu parler de lui. . .

MATHILDE. Il a quitté Paris pendant quinze jours.

DURIEU. Qui est-ce qui te l'a dit?

MATHILDE. C'est M. de Cayolle.

LA COMTESSE. Et où est-il allé?

15 MATHILDE. En Sologne.[1]

DURIEU. Ça ne peut pas être pour son plaisir.

MATHILDE. M. de Cayolle l'avait chargé de se mettre en rapport avec deux ou trois propriétaires, et de voir quels ont été, à son avis, les meilleurs résultats de fertilisation
20 obtenus jusqu'à ce jour ; ce qui est, par exemple, le plus économique, de la marne ou de la chaux.

DURIEU. Tu dis?[2]

MATHILDE. Je dis que le sol de ce pays se divise en terres siliceuses, c'est-à-dire en terres contenant des pierres en
25 grande quantité, et en terres calcaires, renfermant beaucoup de chaux et quelquefois même de la magnésie ; alors. . .

DURIEU. Qu'est-ce que tu racontes?

MATHILDE. Je vous explique la composition du sol, et je vous expliquerai, après, les différents procédés de fertilisation.

30 DURIEU. Merci ! qu'est-ce que c'est que cette plaisanterie !

MATHILDE. Papa, je ne plaisante pas.

DURIEU. Et où as-tu étudié la fertilisation de la Sologne?

MATHILDE. Dans un gros livre d'agriculture.

DURIEU. Que tu as trouvé? . . .

MATHILDE. Chez vous. 5

DURIEU. J'ai des livres sur l'agriculture, moi! . . .

MATHILDE. Oui, papa, très bien reliés, dans votre bibliothèque.

DURIEU. Tiens! . . . et tu les as lus?

MATHILDE. J'ai voulu voir si René aurait beaucoup de 10 peine à faire le travail que M. de Cayolle lui a demandé, et j'ai vu qu'avec de la patience et l'intelligence qu'il a il s'en tirerait très bien.[1] C'est très intéressant, l'agriculture!

LA COMTESSE. Elle a raison; elle pourra faire ce que je n'ai pas fait, elle pourra faire valoir[2] ses terres elle-même, 15 quand elle sera mariée.

MATHILDE. Oh! quand je serai mariée! j'ai le temps d'étudier, alors.

DURIEU. Tu es si difficile!

MATHILDE. Oh! . . . papa, vous ne pouvez pas dire cela. 20

DURIEU. On t'a présenté M. de Bourville, tu ne veux pas de lui.

LA COMTESSE. Il est pourtant très bien.

MADAME DURIEU. Vous le connaissez, comtesse?

LA COMTESSE. Oui. 25

DURIEU. C'est un homme charmant.

LA COMTESSE. Et dans une très bonne position, je crois.

MATHILDE. Il n'est pas riche!

DURIEU. Comment, pas riche?

MATHILDE. Mais non. 30

DURIEU. Il a deux cent cinquante mille francs.

MATHILDE. En terres.

DURIEU. Il peut vendre.

MATHILDE. Non. C'est un majorat régulier, c'est un immeuble inaliénable.[1]

5 DURIEU. Où as-tu encore appris?

MATHILDE. Toujours dans la bibliothèque.

LA COMTESSE. Mais il a une tante. . .

DURIEU. Dont il est l'unique héritier, et qui est très malade. . .

10 MATHILDE. Il n'y a plus d'espoir, elle est sauvée !

MADAME DURIEU. Mathilde !

MATHILDE. C'est que je suis un très bon parti, moi : j'apporte deux cent cinquante mille francs de dot . . . argent . . . sans compter les espérances.

15 DURIEU. Les espérances ! . . . j'espère bien. . .

MATHILDE. Oh ! moi aussi, mon cher papa . . . j'espère bien que vous vivrez longtemps ; mais si le mot espérance signifie deux choses,[2] ce n'est pas ma faute. Vous allez vous associer avec M. Giraud, vous allez faire une très 20 grande fortune.

DURIEU. Tu as un frère !

MADAME DURIEU. Comment se fait-il que nous ne recevions pas de ses nouvelles?

DURIEU. J'en ai reçu.

25 MATHILDE. Où est-il donc? pourquoi ne revient-il pas?

DURIEU. Il s'est trouvé . . . arrêté[3] . . . en route. (*A Mathilde.*) Tu disais? . . .

MATHILDE. Je disais que je serai trop riche, un jour, pour épouser M. de Bourville.

30 DURIEU. Tu voulais bien épouser ton cousin !

MATHILDE. Parce que je croyais l'aimer.

LA COMTESSE. Vous ne l'aimez plus?

MATHILDE. Non, madame, il ne m'aimait pas; du reste, je ne demande pas mieux que d'épouser M. de Charzay . . . M. de Bourville, veux-je dire, si vous y tenez absolument; mais peut-être se présentera-t-il quelque chose de mieux. 5
Élisa, qui n'a rien, fait bien un très bon mariage; pourquoi n'en ferais-je pas un aussi beau? d'autant plus que je sais ce qu'il me faut maintenant; il me faut un homme mûr, très mûr, et que j'aimerai bien, comme un père.

DURIEU, *à sa femme.* Y comprenez-vous quelque chose? 10

MADAME DURIEU. Absolument rien.

LA COMTESSE. J'ai fait un mariage dans ce genre-là, ce n'est donc pas à moi d'en dire du mal. Eh bien, chère enfant, j'ai peut-être ce qu'il vous faut.

MATHILDE. Vraiment? 15

LA COMTESSE. Un parent à moi [1] m'a écrit qu'il voulait se marier. Il est riche!

MATHILDE. Combien a-t-il?

LA COMTESSE. Dix-huit cent mille francs.

MATHILDE. C'est magnifique! . . . Quel âge? 20

LA COMTESSE. Cinquante-cinq ans.

MATHILDE. A merveille!

LA COMTESSE. Mais il a la goutte.

MATHILDE. Quel bonheur! je le soignerai; . . . nous resterons ensemble au coin du feu, comme ce sera amusant! 25
Où est-il?

LA COMTESSE. Ah! il est loin.

MATHILDE. Où donc?

LA COMTESSE. A Batavia; mais il ne demande qu'à revenir. 30

MATHILDE. Et croyez-vous que je lui conviendrai?

La Comtesse. J'en suis certaine . . . d'ailleurs, il s'en rapporte à moi.[1]

Mathilde. Eh bien, papa, qu'en dites-vous ? . . . J'espère que voilà un bon mariage !

5 Durieu. Est-ce que tu n'as pas peur d'être folle ?

Mathilde. J'ai peur d'être trop raisonnable, au contraire.

Durieu. Tu consentiras, toi, à vivre toute ta vie avec un homme de cinquante-cinq ans ?

Mathilde. Toute ma vie, non, mais toute la sienne, ce 10 n'est pas la même chose. En tout cas, vous n'êtes pas pressé de me marier ; six mois de plus ou de moins, qu'est-ce que cela fait ! Madame la comtesse va écrire à son parent, il pourra être ici dans trois mois et demi. Il faut cinquante jours pour aller à Batavia.

15 Durieu. Dis un peu[2] où est Batavia ?

Mathilde. C'est la capitale de l'île de Java. . . (*A Giraud qui entre.*) N'est-ce pas, monsieur Giraud ?

SCÈNE II

Les Mêmes, Jean.

Jean. Quoi, mademoiselle ?

Mathilde. Que Batavia est la capitale de Java ?

20 Jean. C'est bien possible, mademoiselle ; mais vous savez que je suis un ignorant, moi. Je ne connais que les pays avec lesquels je fais des affaires. . . Batavia n'est pas encore coté.[3] (*A la comtesse.*) Madame la comtesse, j'ai appris votre retour, je viens mettre mes hommages à vos pieds.

25 La Comtesse. Je suis enchantée de vous voir, mon cher monsieur Giraud.

Jean, *à madame Durieu.* Votre santé est bonne, madame ?

MADAME DURIEU. Excellente, monsieur.

JEAN. Et vous, mon cher Durieu?

DURIEU. Je vais très bien... Et nos petites affaires?

JEAN. Ne parlons donc pas d'affaires devant les dames. Les affaires ! . . . Elles vont toujours bien. 5

LA COMTESSE. Mon cher monsieur Giraud, j'ai appris votre mariage prochain, recevez tous mes compliments ; [1] vous aurez là une femme charmante, que j'aime et que j'apprécie à sa valeur, et voici mon cadeau de noces : à Londres, j'ai rencontré un de mes amis, ministre d'une principauté 10 allemande : il venait en Angleterre pour contracter un emprunt, au nom de son gouvernement, à des conditions fort avantageuses pour le prêteur. Je lui ai parlé de vous ; il sera ici dans trois jours, et vous soumettra le projet. Ce sera pour vous un commencement de relations très impor- 15 tantes et très honorables.

JEAN. Comment vous remercier, madame?

LA COMTESSE. Et le soir de la signature de votre contrat, qui sera signé chez moi, je vous présenterai à mes meilleurs amis ; un homme qui emploie sa fortune comme 20 vous mérite tous les encouragements possibles.

MATHILDE. Quel malheur, mon cher papa, que mon frère ne soit pas ici pour le mariage d'Élisa !

JEAN. Il y sera, mademoiselle.

DURIEU. Qu'en savez-vous? 25

JEAN. Je viens de le voir.

DURIEU. Où donc?

JEAN. Chez moi.

MADAME DURIEU. Comment se fait-il qu'en arrivant, sa première visite n'ait pas été pour son père? 30

JEAN. Maintenant que le danger est passé, nous pouvons tout vous dire.

MADAME DURIEU. Le danger !

JEAN. Tranquillisez-vous, madame. . . Figurez-vous, madame la comtesse, que ce pauvre Gustave Durieu, à qui je serai toujours dévoué, car c'est à lui que je dois l'honneur
5 de connaître toutes les personnes qui sont ici : ce pauvre Gustave avait fait des lettres de change pour une misère. . . pour six mille francs, et on l'avait mené là-haut.

LA COMTESSE. Là-haut?

JEAN. Oui ; c'est le terme dont se servent les gardes du
10 commerce [1] pour ne pas dire Clichy ;[2] mais Gustave m'a écrit, et ce matin, j'ai payé Mathieu, c'est le garde en question, et Gustave a été mis en liberté.

MATHILDE. C'est très bien, cela, monsieur Giraud.

Madame Durieu essuie ses yeux silencieusement.

15 DURIEU. Vous vous êtes mêlé là, mon cher Giraud, d'une chose qui ne regardait que moi.

LA COMTESSE. M. Giraud a eu raison : le fils de M. Durieu ne doit pas être à Clichy.

DURIEU. Ils y sont très bien ! [3] trop bien même, puisqu'ils
20 y retournent. Je ne l'y aurais certainement pas laissé ; mais je voulais lui donner une leçon.

JEAN. Vous la lui donnerez une autre fois ; il a souscrit des lettres de change, vous pouvez être tranquille, il en souscrira encore, puisqu'il y a toujours des gens assez bêtes pour
25 donner leur argent, leur bon argent contre des lettres de change de fils de famille. Si les jeunes gens s'entendaient, ils formeraient une société anonyme, au capital d'un ou deux millions de lettres de change ; ils les feraient escompter par ces misérables usuriers à 25 ou 30 pour 100, et moi, le ban-
30 quier de la compagnie, je me chargerais de faire rapporter 60 pour 100 à l'argent encaissé. Ce serait une spéculation

certaine, on pourrait créer des actions. . . secrètes, comme toutes les bonnes actions.[1] Il y a une idée dans tout, vous le voyez, mon cher Durieu ; et, en attendant, je ne pouvais pas permettre, dans mon intérêt même, que le fils de mon futur associé fût sous le coup d'une semblable poursuite,[2] la raison l'interdisait. . . la raison sociale surtout.

DURIEU. C'est bien ! c'est six mille francs que je vous dois.

JEAN. Plus les frais ; mais je suis sans inquiétude : j'ai une couverture.[3]

MADAME DURIEU, *à Jean.* Merci, monsieur.

DURIEU. Est-ce que monsieur mon fils[4] est chez moi?

JEAN. Il vous attend.

DURIEU. C'est bien, je vais le retrouver.

LE DOMESTIQUE, *entrant.* On vient d'apporter les étoffes que madame la comtesse a envoyé demander.

LA COMTESSE. J'y vais ; qu'on attende ! . . . — Accompagnez-moi, ma chère madame Durieu ; ce sont des étoffes de robes pour notre mariée.

DURIEU. Adieu, comtesse !

LA COMTESSE. Au revoir, mon cher monsieur Durieu.

Il sort.

JEAN, *à la comtesse.* Il est furieux ! Ces bourgeois sont tous les mêmes !

MADAME DURIEU. Viens avec nous, Mathilde.

Élisa entre.

MATHILDE. Voici Élisa ! je reste avec elle.

Élisa va à la comtesse et à madame Durieu qui l'embrassent.

LA COMTESSE. Nous nous retrouverons là ;[5] nous allons nous occuper de vous. *Elle sort avec madame Durieu.*

JEAN, *à Élisa.* Moi aussi, mademoiselle, je vais m'occuper de vous ; c'est ma seule excuse pour vous quitter sitôt.

Il lui baise la main, salue Mathilde et sort. — Au moment où il ouvre la porte, il se trouve en face de M. Durieu.

5 JEAN. Vous étiez encore là?

DURIEU. Oui, je vous attendais.

Ils referment les portes et s'en vont ensemble.

SCÈNE III

ÉLISA, MATHILDE.

MATHILDE. Tu as complètement métamorphosé M. Giraud ; ce que c'est que l'amour ! [1] il avait tout à l'heure 10 des airs de grand seigneur qui réjouissent les yeux ! La comtesse ne le reconnaissait pas. Tu sais que tu vas être très heureuse avec ce mari-là?

ÉLISA. Tu le crois?

MATHILDE. J'en suis sûre, il t'adore ! il nous a priées, 15 maman et moi, de l'aider pour ta corbeille de mariage ; [2] elle sera magnifique ; il ne trouvait rien de trop beau ni de trop cher ; il a vu la corbeille de la fille du duc de Riva, qui épouse un prince valaque,[3] il a voulu que la tienne fût toute pareille ; seulement, il a jeté au milieu une grande rivière en 20 diamants qui coule paisiblement entre deux rives de dentelles. Et comme on parle de ce mariage !

ÉLISA. Que dit-on?

MATHILDE. Nous avons été exprès, maman et moi, faire des visites pour entendre ce que l'on disait. Les femmes 25 que tu as connues autrefois font une figure ! C'est si agréable de plaindre les gens ! on s'était si bien habitué à dire : « Eh bien, cette pauvre mademoiselle de Roncourt, elle ne

se marie donc pas? Mon Dieu, comme c'est malheureux ! »[1]
Maintenant, ce n'est plus cela : « Mademoiselle de Roncourt
épouse un financier, elle va être très riche ; elle est protégée
par la comtesse Savelli, elle va avoir une des bonnes[2] maisons de Paris. » On ne peut plus la plaindre, c'est bien 5
triste ! il faut l'envier et alors on dit : « Il faut avouer qu'elle
a du bonheur ! Sans fortune, faire un pareil mariage, quand
il y a tant de filles à marier dans une meilleure position
qu'elle. . . » A entendre certaines gens, quand on a du bonheur, il semblerait toujours qu'on le prend à quelqu'un. Le 10
bonheur vient pourtant de Dieu, qui est bien libre de le distribuer comme il l'entend ; et qui est-ce qui mérite plus que
toi d'être heureux ou heureuse? car je ne sais pas s'il faut le
masculin ou le féminin.

ÉLISA. Tu es charmante ! 15

MATHILDE. Non ; je t'aime bien,[3] voilà tout. Du reste, tu
as pu voir aussi changer le vent autour de toi depuis que tes
bans sont publiés.

LE DOMESTIQUE. Des lettres pour mademoiselle.

Il dépose les lettres et sort. 20

ÉLISA. Voilà ma réponse ! ce sont les lettres d'aujourd'hui ; j'en reçois tous les jours autant.

MATHILDE. Et tu ne les lis pas?

ÉLISA. Je ne lis plus. . . Je sais d'avance ce qu'elles
contiennent. 25

MATHILDE, *prenant trois lettres.* Au hasard ! moi qui n'en
ai pas encore lu une seule. . . Commençons par la plus vi-
laine écriture. (*Elle lit.*) « L'homme que vous épousez est
un scélérat. » (*Parlé.*) Rien que ça ! (*Elle lit.*) « Si vous
voulez des détails, écrivez à M. Jules, poste restante, *qu'il*[4] 30
vous en donnera. . . Je vous salue. . . » (*Parlé*). Pas de signa-

ture . . . seulement, scélérat est écrit : c, é, l, é, r, a, et il n'y a pas d'*e* à salue. Une lettre anonyme, c'est toujours bien vilain ; mais sans orthographe, c'est encore plus laid ; qu'en penses-tu ?

5 ÉLISA. Voilà peut-être la dixième lettre de ce genre-là que je reçois.

MATHILDE, *jetant la lettre au feu.* Tu les as jetées au feu ?

ÉLISA. Tout bonnement.[1]

MATHILDE. Tiens, en voici une de Gabrielle Valbray.

10 ÉLISA. Dont je n'ai pas entendu parler depuis quatre ans. . . Tu te la rappelles ?

MATHILDE. Je le crois bien ! elle était dans les grandes[2] à la pension . . . quand j'étais encore dans les petites ; mais nous nous moquions tant d'elle ! elle était très orgueilleuse.
15 . . . Son père s'était enrichi dans les suifs,[3] et elle était toujours de mauvaise humeur parce que sa mère lui faisait porter des bouts de manche[4] pour qu'elle n'usât pas ses robes au coude, comme les écrivains publics. Elle a épousé M. de Valbray, receveur particulier.[5]

20 ÉLISA. Et elle me complimente sur mon mariage ?

MATHILDE. Elle en est si heureuse, que c'est à n'y pas croire.[6] (*Elle jette la lettre au feu et en ouvre une autre*). « Mademoiselle, au moment de votre mariage, permettez-moi de vous rappeler ma maison. . . »

25 ÉLISA, *prenant la lettre.* Benoît, marchand de nouveautés,[7] qui a été notre fournisseur pendant plusieurs années et qui a fait saisir chez nous pour 125 francs.[8] N'en lis pas davantage . . . c'est toujours la même chose ; parlons de toi. Voyons, quand te maries-tu, toi aussi ?

30 MATHILDE. Oh ! moi, je ne me marierai pas de sitôt.

ÉLISA. Pourquoi donc ?

MATHILDE. Parce que, figure-toi qu'on est forcé de me faire venir un mari de Batavia. C'est de l'importation.[1]

ÉLISA. Qu'est-ce que cela signifie?

MATHILDE. Cela signifie que je veux gagner du temps.

ÉLISA. Pour? . . . 5

MATHILDE. Pour que René ait une position et puisse m'épouser.

ÉLISA. C'est convenu entre M. de Charzay et toi?

MATHILDE. Non, il ne s'en doute pas; il ne soupçonne même pas qu'il m'aime, mais il m'aimera. Ce ne serait pas 10 la peine que les verbes eussent un futur, si l'on ne s'en servait pas. Il a suivi le conseil que je lui ai donné; il s'est mis au travail. Quand il aura une position suffisante, il sera tout étonné de s'apercevoir qu'il m'aime. . . Où trouvera-t-il une meilleure femme que moi? 15

ÉLISA. C'est vrai!

MATHILDE. Je suis très maligne, va;[2] j'avais écrit hier à la comtesse pour la prévenir, et elle est entrée très gentiment dans ma petite combinaison, sans même m'en demander la cause ni le but. Si j'avais dit la vérité à mon 20 père, il aurait poussé les hauts cris![3] Au lieu de cela, il va attendre patiemment le parent de la comtesse. C'est un cousin à elle, le monsieur de Batavia que nous avons inventé. Voilà un homme qui va avoir des aventures! car tu comprends que son arrivée est soumise aux hasards des ten- 25 tatives de René. Il va avoir la fièvre jaune, ce pauvre homme; il va faire naufrage; il sera sauvé . . . il donnera de ses nouvelles; enfin il arrivera en France, à Paris même . . . je veux qu'il vienne jusqu'à Paris; mais, en mettant le pied hors du wagon, il glissera, tombera sur les rails et sera 30 coupé en deux. Ce sera affreux, mais il n'y a pas moyen de faire autrement, tant pis pour lui! Et René et moi, nous nous marierons au milieu des feux de Bengale,[1] comme dans une féerie,[2] et nous serons très heureux! Mais tu ne m'écoutes plus! Qu'est-ce que tu as? tu pleures, Élisa?

5 ÉLISA, *se jetant dans ses bras.* Ma bonne petite Mathilde!

MATHILDE. Que t'arrive-t-il? Je ne veux pas que tu sois malheureuse; et moi qui ne devine pas[3] que tu as un chagrin! Voyons, qu'as-tu? que veux-tu que je fasse? Ne veux-tu plus épouser M. Giraud? Je le lui dirai, si tu n'oses pas 10 le lui dire. Je vais aller chercher ton père, je lui parlerai, moi.

ÉLISA. Mon père n'est pas ici; il s'occupe de tous les préparatifs de ce mariage qui se fera, qui doit se faire.

MATHILDE. Mais pourquoi pleures-tu?

15 ÉLISA. Ce n'est rien; j'ai mal aux nerfs![4] Je suis ainsi depuis quelques jours. Ce brusque changement de position, ces faux témoignages de sympathie qui m'arrivent de tous côtés, les souvenirs de mon passé que toi-même as évoqués un jour devant moi, une sensibilité trop grande, surexcitée 20 par ces derniers[5] événements, tout cela ressemble au chagrin et me donne par moments des envies de pleurer. Affaire de nerfs, je te le répète; tu vois, c'est passé. Cela m'a fait du bien, de pleurer un peu. Tu as eu une idée excellente; comme tu seras gentille en mariée!

25 MATHILDE. Oui . . . oui . . . je serai très gentille.

LE DOMESTIQUE, *annonçant.* M. René de Charzay.

MATHILDE, *faisant un mouvement vers la porte.* Il arrive bien.[6]

ÉLISA, *essuyant ses yeux.* Silence! (*A Mathilde.*) Je te 30 défends . . ., je te prie de ne lui rien dire.

MATHILDE, *la regardant.* C'est bien . . . sois tranquille.

RENÉ, *entrant.* Bonjour, Mathilde... Ta mère t'attend en bas pour s'en aller avec ton frère qui vient la chercher.

MATHILDE. Gustave est là?... Je m'en vais... Viendras-tu nous voir, maintenant que tu es revenu à Paris?

RENÉ. Certainement. 5

MATHILDE, *à Élisa.* A bientôt. (*A René.*) Je ne te dis pas adieu, alors. *Elle sort.*

SCÈNE IV

ÉLISA, RENÉ.

RENÉ. Comment allez-vous?

ÉLISA. Très bien, je vous remercie... Quand êtes-vous arrivé? 10

RENÉ. Ce matin.

ÉLISA. Êtes-vous content de votre voyage?

RENÉ. Oui; mon travail me sera utile sous plus d'un rapport. Je l'ai envoyé à M. de Cayolle, j'attends sa réponse... Et vous?... 15

ÉLISA. Vous ne me donnez pas la main?

RENÉ, *lui tendant la main.* Au contraire, et de grand cœur.

ÉLISA. Avez-vous vu la comtesse?

RENÉ. Je sais qu'elle est de retour. 20

ÉLISA. Depuis hier.

RENÉ. Je vais la voir; elle est toujours bonne pour[1] vous?

ÉLISA. Plus que jamais. (*Une pause.*)

RENÉ. Et votre père?

ÉLISA. Mon père va bien. 25

RENÉ. Il est heureux?

ÉLISA. Oui... Il a pris avec ses créanciers des arrangements beaucoup plus avantageux pour lui que ceux qu'on lui proposait. Quand ils ont su qui j'épousais, ils ne sont plus venus nous demander de l'argent, ils sont venus nous en offrir.

5 RENÉ. Le contrat n'est pas encore signé?

ÉLISA. Pas encore; on doit le signer dans deux jours.

RENÉ. Quels sont vos témoins?

ÉLISA. M. Durieu et M. de Cayolle, à qui mon père a écrit, mais qui ne nous a pas encore répondu.

10 RENÉ. Alors, c'est irrévocable?

ÉLISA. Oui. (*Une pause.*)

RENÉ. Nous ne nous verrons probablement plus beaucoup après votre mariage.

ÉLISA. Pourquoi?

15 RENÉ. Si j'ai la place que M. de Cayolle m'a fait espérer, j'habiterai la province.

ÉLISA. Mais vous viendrez quelquefois à Paris?

RENÉ. Le moins possible. Le travail va être ma grande distraction. Me permettrez-vous de vous offrir, comme le 20 feront tous les gens qui vous aiment, mon petit cadeau de noces? Il ne sera pas brillant, car je ne suis pas riche, mais il vous rappellera un ami qui ne vous oubliera jamais. J'ai fait faire cette bien simple bague exprès pour vous; elle s'ouvre: il y a dessus le chiffre, et dedans des cheveux de 25 ma mère.

ÉLISA, *émue*. Oh! je ne m'en séparerai jamais. Votre mère était une sainte femme; [1] je suis bien heureuse de ce souvenir; il me portera bonheur, j'en suis sûre.

RENÉ. Elle vous rappellera les beaux projets que nous 30 faisions dernièrement. Voilà ce que c'est que de prévoir les choses dix ans à l'avance.

ÉLISA, *avec une émotion de plus en plus forte et qu'elle contient d'autant plus.* Ne parlons pas de cela, je vous en supplie. Laissez-moi tout mon courage, dont j'ai si grand besoin. . . Adieu !

RENÉ. Vous avez raison, adieu ! 5

LA COMTESSE, *entrant, à Élisa qui essuie ses yeux à la hâte.* Ma chère Élisa . . . ma couturière vous attend ; elle veut vous essayer des robes que j'ai choisies moi-même ; j'espère qu'elles vous plairont . . . il y en a une rose pour le contrat et une blanche pour l'église. Je veux que vous 10 soyez belle comme un ange. *Elle embrasse Élisa, qui sort.*

SCÈNE V

LA COMTESSE, RENÉ.

LA COMTESSE, *à René.* Tiens, vous étiez là ! Voilà tout ce que vous dites aux gens que vous revoyez ?

RENÉ. Pardonnez-moi, je n'ai plus bien ma tête.[1]

LA COMTESSE. C'est la Sologne qui vous met dans cet 15 état ?

RENÉ. Ne vous moquez pas de moi ; je ne suis pas en train de plaisanter.[2]

LA COMTESSE. Ni moi non plus ; j'ai un très grand chagrin. . . 20

RENÉ. Vous !

LA COMTESSE. Moi-même. . . Cela vous étonne ? . . . Regardez-moi donc, je suis toute changée.

RENÉ. C'est vrai, vous êtes un peu pâlie. . .

LA COMTESSE. Je ne fais que pleurer depuis trois semaines. 25

RENÉ. Que vous arrive-t-il donc ?

LA COMTESSE. C'est bien heureux que vous vous décidiez

à me le demander. Il m'arrive un très grand malheur. D'abord, je suis ruinée.

RENÉ. Ruinée !

LA COMTESSE. Mais à peu près : il me reste cent mille
5 livres de rente.

RENÉ. Je le savais.

LA COMTESSE. Et voilà toutes les consolations que vous m'offrez ?

RENÉ. Je ne peux pourtant pas m'attendrir sur votre sort
10 parce que vous n'avez plus que cent mille livres de rente. Il ne fallait pas vous ruiner.

LA COMTESSE. Je ne vous retiens pas, si vous n'avez que de ces choses-là à me dire.

RENÉ. Pardon !

15 LA COMTESSE. Qu'est-ce que vous avez ?

RENÉ. C'est mon cœur qui a fait une maladresse.[1]

LA COMTESSE. Vous aimez ?

RENÉ. Oui.

LA COMTESSE. Et on ne vous aime pas ?

20 RENÉ. C'est cela.

UN DOMESTIQUE, *entrant.* Pour M. de Charzay.

RENÉ. Pour moi. . . Vous permettez, comtesse ?

LA COMTESSE. Certainement. . .

RENÉ, *lisant.* « Mon cher ami . . . on vient de me re-
25 mettre votre travail, mais j'ai à vous parler de quelque chose de plus pressé en ce moment. Je suis en bas ; je vois monter chez la comtesse quelqu'un avec qui je ne veux pas me trouver, surtout aujourd'hui : excusez-moi auprès d'elle, et tout à vous. DE CAYOLLE. »

30 RENÉ, *au domestique.* C'est bien, j'y vais. (*Le domestique sort.*) Au revoir, comtesse.

LA COMTESSE, *lui donnant la main.* Au revoir, mon ami.

LE DOMESTIQUE, *annonçant.* M. Jean Giraud.

JEAN. C'est moi qui vous fais sauver, monsieur de Charzay?

RENÉ. Non pas; je sortais quand on vous a annoncé. 5

JEAN. Mais nous nous reverrons?

RENÉ. Certainement. *Il sort.*

SCÈNE VI

JEAN, LA COMTESSE.

LA COMTESSE. Quel beau portefeuille, monsieur Giraud! C'est un portefeuille de ministre.

JEAN. On ne sait pas ce qui peut arriver! Mais, en at- 10 tendant, mon portefeuille ne contient que des papiers personnels relatifs à mes affaires et mon contrat de mariage que je viens soumettre à mademoiselle de Roncourt.

LA COMTESSE. Mon cher monsieur Giraud, dans combien de temps nous donnerez-vous la réponse de notre 15 grande opération?

JEAN. Dans huit jours,[1] madame la comtesse.

LA COMTESSE. Sur quelle somme puis-je compter?

JEAN. Sur cent cinquante ou deux cent mille francs.

LA COMTESSE. Et le capital que je vous ai remis me 20 rapportera?

JEAN. Pour être prudent, de dix à quinze mille francs par mois.

LA COMTESSE. Notre première opération faite, je mettrai chez vous le reste de ce que j'aurai réalisé, et, dans le cas 25 même où je n'habiterais plus la France. . .

JEAN. Cela ne ferait rien du tout. D'ailleurs, M. de

Roncourt ne serait-il pas toujours là pour surveiller vos intérêts? N'oubliez pas le fameux emprunt que vous m'avez promis, madame la comtesse.

LA COMTESSE. Soyez tranquille. . . je n'oublie jamais.

5 *Elle sort.*

JEAN, *feuilletant ses papiers.* — *Seul.* Voyons, voyons. . . Écrivent-ils assez mal, ces clercs de notaire ! *Élisa entre.*

SCÈNE VII

ÉLISA, JEAN.

ÉLISA. Vous m'avez fait demander,[1] monsieur Giraud?

JEAN. Non pas, mademoiselle, non pas. Je vous ai fait 10 dire seulement que je désirais causer avec vous de nos petites affaires. Nous sommes assez grands tous les deux pour les traiter nous-mêmes, et je veux vous soumettre notre contrat que je viens de prendre chez mon notaire, et recevoir vos observations avant qu'il soit mis au net.

15 ÉLISA. Ce contrat ne me regarde pas, monsieur; je n'apporte rien, vous apportez tout. Ce que vous ferez sera bien fait.

JEAN. Vous m'apportez beaucoup, au contraire. Vous m'apportez la grâce, l'esprit, le goût, les relations du monde, 20 le bonheur enfin. Tout cela est sans prix et je ne le payerai jamais ce que cela vaut. Voyons. « Par-devant maître [2]. . . ont comparu M. Jean Giraud, banquier, d'une part, et mademoiselle Élisa de Roncourt; lesquels, dans la vue du mariage projeté entre eux, ont arrêté de la manière suivante les con- 25 ditions civiles [3] de cette union : — Article Ier. — Il y aura séparation de biens entre les époux [4]. . . » Votre père m'a dit que vous désiriez que nous fussions mariés sous ce régime.[5]

ÉLISA. Oui, monsieur ; j'ai tenu à cette clause pour votre garantie personnelle.

JEAN. « La future aura l'administration de ses biens et la jouissance de ses revenus.

« Article II. — Apport de la future : 5

« Mademoiselle de Roncourt apporte en mariage et se constitue personnellement en dot : [1]

« 1° Un trousseau à son usage, dentelles, cachemires, etc., estimé . . . . 50 000 francs.

« 2° Bijoux, diamants, estimés . . . . 100 000 — 10

« 3° Une somme de un million en bonnes valeurs. »

ÉLISA. Pardon, monsieur, pardon, je ne comprends pas.

JEAN. C'est pourtant bien simple ! je vous reconnais [2] un million de dot. . .

ÉLISA. Monsieur. . . 15

JEAN. Notre contrat est rédigé, sauf les noms, exactement comme celui de la duchesse de Riva.

ÉLISA. La duchesse apporte réellement un million, tandis que moi. . .

JEAN. Mais l'homme qu'elle épouse n'apporte rien, ça 20 revient toujours au même, et elle lui reconnaît trois cent mille francs. Il se peut que nous nous séparions un jour, pour une cause ou pour une autre ; il ne faut pas que vous soyez à la discrétion de votre mari. Il n'y a pas de mal que, de temps en temps, les grands seigneurs apprennent des parvenus 25 comment il faut se conduire en certains cas.

ÉLISA. Il est bien triste, monsieur, dans quelque condition que se fasse un mariage, de prévoir, avant que le contrat soit signé, la possibilité d'une séparation.

JEAN. En affaires, il faut tout prévoir. Et puis je peux 30 mourir. Je ne veux pas que vous ayez la moindre contestation avec mes parents, qui n'ont pas sur l'argent les mêmes idées que moi. Je meurs, les enfants héritent, vous reprenez votre dot, personne n'a rien à dire, et vous n'êtes pas forcée de vous marier une seconde fois.

5 ÉLISA. Si le malheur veut que vous mouriez le premier, monsieur, ce sera à vous d'avoir pris les dispositions que vous aurez cru devoir prendre, mais en dehors de moi.[1] Cette aumône préventive et magnifique m'humilie et me blesse. Dans la position où je suis, j'accepte déjà trop pour 10 accepter davantage. Il faut rayer cette clause, je vous en prie, je le veux. . .

JEAN. Mais si cette clause est autant à mon avantage qu'au vôtre?

ÉLISA. C'est autre chose, alors.

15 JEAN. Mon Dieu, oui : je suis dans les affaires ; je les fais sur une grande échelle ; l'échelle[2] peut casser. Il est bon que, dans ce cas, je retrouve par terre une bonne somme qui m'aide[3] à me relever. Avec un million, on vit modestement, mais enfin on vit, ou l'on peut tenter de nou- 20 veau la fortune. Si je suis ruiné, si je perds plus que je ne possède, car on ne sait jamais, vous réclamez votre dot et les créanciers n'ont rien à dire.

ÉLISA. C'est vrai ! Je suis bien heureuse de votre franchise, monsieur Giraud, je m'explique enfin votre mariage.

25 JEAN. Oui. Vous aviez peur que je ne fusse un mari ordinaire, un vrai mari jaloux, exigeant ; je comprends cela. Soyez tranquille : nous autres hommes d'argent, qui ne pouvons pas avoir d'amis véritables, ce que nous demandons surtout à notre femme, c'est d'être notre amie. — Des 30 femmes, il y en a partout, mais celle qui nous convient est difficile à trouver.

ÉLISA. Oui, votre femme doit être un autre vous-même.

JEAN. Il faut encore qu'elle soit assez honnête pour ne pas se sauver un beau jour avec l'argent que nous sommes forcés de mettre sous son nom. C'est arrivé quelquefois. Je ne dis pas ça pour vous. Du reste, vous allez être très 5 riche de votre chef;[1] il y a une foule d'opérations que vous. . .

ÉLISA. Mais, dites-moi, monsieur Giraud, dans le cas où nous ferions de mauvaises affaires?

JEAN. Eh bien, je vous l'ai dit, nous retrouverions tou- 10 jours votre dot. . .

ÉLISA. Et alors tant pis pour les créanciers! C'est que, vous savez, moi, je suis la fille d'un homme qui s'est dépossédé pour payer les siens, ou plutôt ceux de son frère.

JEAN. Ce n'est pas la même chose. Des créanciers de 15 Bourse, d'ailleurs, ça[2] ne compte pas; la loi refuse de les reconnaître.

ÉLISA. C'est juste. Mais, s'ils attaquent mon contrat, que répondrai-je?

JEAN. Que vous tenez votre dot de votre père. 20

ÉLISA. Mais mon père est sans fortune.

JEAN. Il n'est pas sans fortune, il a une position: il est intendant de la comtesse.

ÉLISA. Si l'on allait dire qu'il a volé pour doter sa fille?

JEAN. On laisse dire.[3] L'important est d'avoir la loi de 25 son côté. Mais, du reste, nous ne ferons que des opérations très honnêtes et très sûres. Il faut que je vous dise encore. . .

ÉLISA, *se levant.* C'est inutile, monsieur.

JEAN. Pourquoi cela?

ÉLISA. Je n'ai pas besoin d'en entendre davantage. 30 Quand je pense[4] que vous auriez pu ne me dire tout ce que je viens d'entendre qu'après notre mariage ! Qu'est-ce que je serais devenue ? *Elle déchire le contrat.*

JEAN. Qu'est-ce que vous faites ?

ÉLISA. Je déchire ce contrat.

5 JEAN. Vous ne voulez plus être ma femme ?

ÉLISA. Pour qui me prenez-vous ?

JEAN, *se levant.* Madame !

RENÉ, *qui est entré pendant la fin de la scène, à Élisa.* Retournez auprès de la comtesse : cet homme va vous in-
10 sulter ; c'est inutile,[1] je me charge du reste.

ÉLISA. René !

RENÉ. Ne craignez rien.

Il la reconduit jusqu'à la porte de sa chambre. Elle sort. René revient à Jean qui se dispose à sortir. Il lui tape sur
15 *l'épaule.*

SCÈNE VIII

RENÉ, JEAN.

JEAN, *se retournant.* Bon ! voilà l'autre. — Ah ! c'est vous ?

RENÉ. Oui.

JEAN. Vous étiez là. Vous avez entendu ?

20 RENÉ. Parfaitement.

JEAN. Eh bien, comment trouvez-vous l'histoire ? Elle est bonne, hein ?[2] une fille qui a. . .

RENÉ. Qui a aimé et qui vous en a fait loyalement l'aveu.

JEAN. Aimé ! aimé ! nous savons bien qu'une fille dans
25 sa position n'a pas le droit de dire ce qu'elle dit ; si on l'épouse, c'est bien le moins qu'elle serve à quelque chose.[3]

RENÉ. Épousez mademoiselle Flora, alors.

JEAN. Monsieur !

RENÉ. Mademoiselle de Roncourt, éclairée par sa seule conscience, a rejeté loin d'elle votre nom et votre fortune. Je revenais exprès pour lui apprendre tout ce qu'elle ne savait pas. On vient de me donner sur vous les détails les plus 5 précis. Vous êtes un voleur !

JEAN. Vous m'insultez !

RENÉ. Croyez-vous ? Vous avez commencé votre fortune en jouant avec un dépôt d'argent qui vous avait été confié par une femme dans une position telle, qu'un scandale public 10 lui était interdit. . .

JEAN, *se retournant pour s'en aller.* Ce n'est pas vrai ; et puis je le lui ai rendu, son argent. . .

RENÉ, *le retenant.* Ne bougez pas. Vous avez disparu une fois de la Bourse sans payer. Vous êtes de ceux qui la 15 déshonorent.

JEAN. J'ai payé depuis.

RENÉ. Et les actionnaires des mines que vous aviez découvertes, dont vous avez racheté les actions à soixante-quinze pour cent au-dessous du prix d'émission, qu'en dites- 20 vous ?

JEAN. Les actionnaires ! . . . Ils ont été bien heureux.

RENÉ. Et vous avez gagné trois millions dans cette affaire ! Écoutez bien, maintenant : vous avez entre les mains des sommes importantes à madame Savelli et à M. 25 Durieu ; comme il est inutile que vous leur emportiez leur argent, vous allez leur rendre ces sommes et vous ne reparaîtrez plus ici.

JEAN. Vraiment ! C'est vous qui avez arrangé ça ?

RENÉ. Oui. 30

JEAN. Et si je n'y consens pas, moi ?

RENÉ. Je vous y contraindrai bien.

JEAN. Comment, s'il vous plaît?

RENÉ. Je vous démasquerai..

JEAN. Et les preuves?

5 RENÉ. Ma parole suffira.

JEAN. Allons donc ! [1]

RENÉ. Je vous souffletterai alors.

JEAN. Ce sera une lâcheté : je ne me battrai pas. Est-ce que vous croyez que je serai assez bête pour me faire tuer 10 par vous? Dix millions contre soixante mille francs ; la partie ne serait pas égale, mon cher monsieur. Vous voulez du bruit, on en fera. Vous direz que j'ai volé, je dirai que ce n'est pas vrai, et je le prouverai ; et j'ajouterai que vous me cherchez querelle parce que je n'ai pas voulu épouser 15 mademoiselle de Roncourt, dont vous avez été l'amant !

RENÉ, *levant la main.* Misérable !

JEAN. Ne me touchez pas ; j'appelle ! Vous m'ennuyez, à la fin ! [2] Qu'est-ce que je vous ai fait, moi? J'ai essayé par tous les moyens possibles de vous rendre service, vous 20 ne m'avez jamais dit que des choses désagréables. J'en ai assez, de vos sermons ! J'ai bien vu le rôle que vous vouliez me donner, en me faisant épouser mademoiselle de Roncourt. Me suis-je plaint? Je n'ai rien dit. Elle ne veut plus de moi, je ne veux plus d'elle, cela ne vous regarde pas, 25 et je me moque de vous. Vous ne pouvez rien contre moi ; vous ne me ferez chasser ni de chez la comtesse, ni de chez M. Durieu, parce qu'ils ont besoin de moi tous les deux, parce que, dans votre monde comme dans les autres, l'intérêt passe avant tout, parce que je suis leur Argent enfin, 30 et qu'on ne met jamais son argent à la porte. Là-dessus,[3] ne vous mêlez pas plus de mes affaires que je ne me mêle des vôtres, et vous n'entendrez plus parler de moi. J'ai bien l'honneur de vous saluer. (*Il sort.*)

René va prendre son chapeau. Il reste un instant pensif, puis il marche résolument vers la porte pour rejoindre Jean Giraud. Au moment où il va sortir, Élisa se met entre la 5 *porte et lui.*

ÉLISA. Laissez cet homme. Je suis si heureuse de ne pas être sa femme.

ACTE CINQUIÈME

Chez Durieu.

SCÈNE I

DURIEU, MADAME DURIEU.

DURIEU, *sortant de sa chambre.* Je vous cherchais, chère amie ! [1] 10

MADAME DURIEU. Je rentre à l'instant. . .

DURIEU. Vous allez me donner votre avis. . .

MADAME DURIEU. Sur quoi? . . .

DURIEU. Voici le fait : vous savez que Giraud est redevenu libre par suite de sa rupture avec les Roncourt? 15

MADAME DURIEU. Oui.

DURIEU. Il a fait une démarche [2] vers moi.

MADAME DURIEU. Pour?

DURIEU. Pour me demander Mathilde.

MADAME DURIEU. Que lui avez-vous répondu? 20

DURIEU. Rien encore. . . Je voulais vous consulter. . .

MADAME DURIEU. Moi?

DURIEU. Vous. N'êtes-vous pas la mère de Mathilde?

MADAME DURIEU. C'est vrai, mon ami, mais je me conformerai à votre décision.

DURIEU. Ce n'est pas ce que je vous demande; je vous
5 demande votre opinion pour me décider. Il y a trois partis: M. de Bourville, le cousin de la comtesse, l'homme [1] de Batavia, et Giraud. Mathilde n'a pas de volonté, elle; [2] quel est celui des trois que vous préférez?

MADAME DURIEU. Il ne faut pas m'en vouloir, mon ami,
10 mais je serais incapable de faire un choix. Ce n'est pas ma faute, c'est l'habitude qui me manque.

DURIEU. Comment, l'habitude? . . .

MADAME DURIEU. Depuis vingt-quatre ans que nous sommes mariés, vous avez toujours voulu diriger seul et vous-
15 même vos enfants; c'était votre droit, je vous devais tout. Je me suis contentée, ne pouvant pas vous donner un conseil, de leur donner un exemple; c'est tout ce que j'ai pu faire. Cependant, Gustave n'a pas mené la vie qu'il devait mener, et, si votre fortune venait à lui échapper. . .

20 DURIEU. Comment ma fortune lui échapperait-elle?

MADAME DURIEU. Je n'en sais rien, mon ami, c'est une supposition. Vous êtes libre de disposer de votre bien comme bon vous semble, et, pour ma part, j'ai de si petits besoins, qu'en cas de malheur, je me contenterais de bien
25 peu. Mais vous avez mis entre les mains de M. Giraud une somme importante, vous allez probablement lui confier le reste de vos capitaux, et signer même avec lui un acte de société.

DURIEU. Je ne dois confier à M. Giraud que l'argent
30 qu'il me fera gagner. Je ne cours donc aucun risque.

MADAME DURIEU. Cependant, il a à vous [3] cent cinquante mille francs en ce moment.

Durieu. Cent mille.

Madame Durieu. Il dit cent cinquante mille partout. Vous voyez bien, en tout cas, que vous lui avez déjà confié une grosse somme qu'il ne vous a pas fait gagner.

Durieu. J'ai pris toutes les informations possibles, il n'y 5 a pas de danger.

Madame Durieu. Tant mieux ; mais il a commencé par ne vous demander que quarante mille francs, et il est arrivé [1] à vous en faire donner soixante mille de plus ; prenez garde !

Durieu, *inquiet.* Est-ce que vous avez une raison de 10 craindre que M. Giraud ? . .

Madame Durieu. Je n'ai pas de raisons certaines. Nous autres femmes, nous sommes des créatures de sentiment plus que de raisonnement ; ainsi je ne croirai jamais qu'il soit délicat en affaires d'intérêt, l'homme qui n'est pas délicat en 15 affaires de cœur, et, à cette heure, M. Giraud se conduit très mal avec mademoiselle de Roncourt. — Croyez-moi, mon ami, tous les sentiments honnêtes se tiennent [2] dans notre cœur, et celui qui se gâte gâte les autres. L'honneur n'a pas de nuances. 20

Durieu. Tout cela ne me dit pas ce que je dois faire avec Giraud.

Madame Durieu. Vous devez vous retirer le plus poliment, le plus adroitement et le plus promptement possible, des combinaisons dans lesquelles il vous a engagé. 25

Durieu. Eh bien, je vais être franc avec vous : je n'ai jamais eu l'intention de m'associer avec M. Giraud.

Madame Durieu. Vous le lui aviez promis cependant.

Durieu. Oui, parce que c'était le seul moyen qu'il me fît rattraper trente mille francs que j'ai perdus à la Bourse avant 30 de le connaître.

MADAME DURIEU. Et s'il vous fait perdre?

DURIEU. Il n'est pas assez maladroit pour me faire perdre de l'argent, dans la première affaire [1] que nous faisons ensemble. Pour la seconde, je ne dis pas non.

5 MADAME DURIEU. Un pareil calcul est-il bien digne de vous?

DURIEU. Enfin, c'est aujourd'hui le 30; c'est aujourd'hui que M. Giraud doit venir me rendre mes comptes.

MADAME DURIEU. Vous en êtes sûr?

10 DURIEU. Je l'ai vu hier; il m'a dit de l'attendre aujourd'hui à deux heures. . . Il est onze heures, ainsi. . .

MADAME DURIEU. Voyons, mon ami, s'il vous est venu aujourd'hui cette bonne pensée de me consulter, c'est que vous avez enfin compris que je puis vous donner un bon 15 avis dans une circonstance grave. Eh bien, voulez-vous faire ce que je vais vous dire et me rendre bien heureuse?

DURIEU. Qu'est-ce que c'est?

MADAME DURIEU. Courez chez M. Giraud tout de suite, et, avant même de connaître le résultat de son opération, 20 reprenez tout simplement l'argent que vous lui avez confié, sans intérêts et sans bénéfices. Vous avez perdu trente mille francs, vous aurez perdu trente mille francs, voilà tout; mais, au moins, vous n'aurez pas à vous reprocher d'avoir trompé qui que ce soit. Rappelez-vous, mon ami, la rigidité pro-25 verbiale de votre père en matière d'argent. Est-ce à dire, [2] parce que, depuis quelques années, il s'est produit des hommes nouveaux, qu'il doive en résulter une morale nouvelle? A mon avis, Durieu, on a le droit de perdre de l'argent avec certaines personnes, on n'a pas le droit d'en gagner, 30 et l'honneur, comme nous le comprenons, vous et moi, défend de tromper même qui [3] nous trompe. Si M. Giraud tient ses engagements vis-à-vis de vous, quel que soit son but, il faudra tenir les vôtres vis-à-vis de lui, ou il sera en droit de dire que vous manquez à votre parole. Ce serait la première fois.

DURIEU. Vous êtes décidément la meilleure créature que je connaisse. 5

MADAME DURIEU. Non; mais j'ai un certain sentiment du devoir.

DURIEU. Allons! je cours chez Giraud.

MADAME DURIEU. A la bonne heure![1] 10

DURIEU. Et, si je rentre dans mon argent, je fais le vœu. . .

MADAME DURIEU. De?

DURIEU. De donner ma fille à René, si elle l'aime toujours.

MADAME DURIEU. Que vous êtes bon, mon ami! . . . Elle 15 l'aime, elle m'a fait sa confidence. . .

DURIEU. Et ce cousin de la comtesse?

MADAME DURIEU. N'est qu'une invention.

DURIEU. Ah! la petite rusée![2] Je m'en doutais.

MADAME DURIEU. En revenant de chez M. Giraud, vous 20 passerez chez M. de Roncourt, et vous le ramènerez, lui et sa fille, dîner avec nous.

DURIEU. Vous êtes donc sûre? . . .

MADAME DURIEU. Je suis sûre que, si je n'avais pas eu le bonheur de vous épouser, je serais restée fille comme Élisa, et 25 qu'on aurait probablement dit sur moi ce qu'on dit sur elle.

DURIEU, *embrassant sa femme*. Quand on pense[3] que je vivais avec toi depuis vingt-quatre ans et que je ne te connaissais pas! . . .

MADAME DURIEU. Eh bien, tu le vois, mon ami, il était 30 encore temps de faire connaissance.

UN DOMESTIQUE, *annonçant.* M. et mademoiselle de Roncourt ! . . .

SCÈNE II

LES MÊMES, ÉLISA, DE RONCOURT.

DURIEU. Bonjour, mon cher de Roncourt !

MADAME DURIEU, *à Élisa.* Nous parlions de vous, chère
5 enfant !

DE RONCOURT. Je vous croyais malade, mon cher Durieu.

DURIEU. Pourquoi?

DE RONCOURT. Parce que je ne vous voyais plus, et que dans les circonstances où nous sommes, vous nous deviez une
10 visite.

DURIEU. J'ai été très occupé, cher ami ; j'allais sortir et passer chez vous. Je suis enchanté de vous voir.

ÉLISA. Et Mathilde? . . .

MADAME DURIEU. Son père va lui dire que vous êtes là,
15 et qu'elle vienne [1] vous embrasser. *Élisa se jette au cou de madame Durieu.*

DE RONCOURT, *à Durieu.* Je ne vous retiens plus, cher ami ; je sais tout ce que je venais savoir. *Il lui serre la main.*

20 DURIEU. Dans une demi-heure, je suis de retour. *Il sort.*

SCÈNE III

LES MÊMES, *hors* DURIEU.

MADAME DURIEU. La comtesse sort d'ici. . . Elle part donc encore? . . .

ÉLISA. Elle va se marier.

DE RONCOURT. Elle épouse, je crois, lord Nofton.

MADAME DURIEU. Qui est très riche?

DE RONCOURT. Immensément riche !

MADAME DURIEU. Est-ce que c'est un mariage d'argent?

DE RONCOURT. Oh ! non, il y a même déjà longtemps 5 qu'ils pourraient être mariés ; mais cela n'en arrive que mieux.

MATHILDE, *entrant, à Élisa.* Je t'écrivais, quand mon père est venu me dire que tu étais là. . . Tu vas bien? . . .

ÉLISA. Et que m'écrivais-tu? 10

MATHILDE, *riant.* Toutes sortes de choses. Je vais te conter cela.

MADAME DURIEU. Alors, tu nous renvoies? . . . Nous vous laissons ensemble. (*A de Roncourt.*) Venez, mon cher de Roncourt ; vous qui avez été si souvent le confident de mes 15 chagrins, je veux vous dire un bonheur qui m'arrive. (*A Mathilde.*) Mathilde ! . . .

MATHILDE. Maman?

MADAME DURIEU. Si tu aimes toujours René, prépare-toi à un grand bonheur. 20

MATHILDE. Quel bonheur?

MADAME DURIEU. Ton père consent à ton mariage. Silence ! Garde ta joie pour le moment où il te l'apprendra lui-même.

SCÈNE IV

ÉLISA, MATHILDE.

MATHILDE. Élisa ! 25

ÉLISA. Mathilde?

MATHILDE. Tu parais bien gaie.

ÉLISA. Je suis contente de te revoir ; je craignais que vous ne m'eussiez tous oubliée ; je vois que je me trompais...

MATHILDE. Me promets-tu d'être franche ?

5 ÉLISA. As-tu jamais eu à douter de ma franchise ?

MATHILDE. Non. Eh bien, réponds-moi : pourquoi n'épouses-tu point M. Giraud ?...

ÉLISA. Tu en es encore là ? [1]...

MATHILDE. Oh ! je t'en prie... ne plaisante pas là-
10 dessus !...

Élisa. Parce que ?

MATHILDE. Parce que les autres ne plaisantent pas.

ÉLISA. Que veux-tu dire ?

MATHILDE. Je veux dire qu'il a été beaucoup parlé de
15 cette rupture. Une femme qui n'est pas méchante disait devant moi : « Voilà déjà deux mariages que manque mademoiselle de Roncourt ; il faudra que son mari, si elle en trouve un maintenant, soit bien honorable pour faire oublier les deux autres. »

20 ÉLISA. Cette dame avait raison : c'est bien assez de deux mariages manqués dans la vie d'une femme, et j'ai renoncé à toute nouvelle tentative de ce genre. Je ne me marierai jamais.

MATHILDE. Tu te marieras, au contraire ; il le faut. C'est
25 devenu indispensable pour ton honneur et pour l'honneur de ceux qui t'aiment.

ÉLISA. Qui est-ce qui m'aime ?

MATHILDE. Moi !

ÉLISA, *riant.* Tu ne peux pas m'épouser...

30 MATHILDE. Je t'en supplie, ne ris plus. Il est impossible que tu sois aussi gaie que tu affectes de l'être : ton rire

est faux ; il te fait mal et à moi aussi. Réponds-moi. . . pourquoi n'as-tu pas épousé M. Giraud ?

ÉLISA. Parce que nous avons craint de ne pas être heureux ensemble.

MATHILDE. Ou parce que tu en aimais un autre. 5

ÉLISA. Personne.

MATHILDE. Tu me trompes : le jour même de ta rupture avec M. Giraud, en causant avec toi, j'ai prononcé un nom ; je t'ai fait part de mes projets, tu n'as pu retenir tes larmes. Ce jour-là, René est arrivé, tu m'as défendu de lui dire ce 10 qui s'était passé, et, une heure après, tu rompais avec M. Giraud. Ce que personne ne devine, je le sais, moi : tu aimes René.

ÉLISA. Non.

MATHILDE. Et René t'aime. 15

ÉLISA. Tu es folle !

MATHILDE. Aujourd'hui, tu te contiens mieux que l'autre fois ; mais je sais à quoi m'en tenir. Je ne te demande donc plus si tu aimes René, je te demande de me prouver que tu es mon amie : j'aime René, moi, tu le sais ? Eh bien, il 20 m'arrive un grand bonheur : mon père consent à mon mariage avec lui. Si René ne t'a jamais dit qu'il t'aimait, si tu ne lui as jamais avoué ton amour, tais-toi pour moi, sacrifie-toi, je t'en supplie, ne lui laisse jamais voir que tu l'aimes.

ÉLISA. Je te jure, Mathilde, qu'il n'en a jamais rien su, 25 et qu'il n'en saura jamais rien.

MATHILDE. Ah ! tu vois bien que j'avais deviné.

ÉLISA. Mathilde. . .

LE DOMESTIQUE, *annonçant.* M. René de Charzay !

ÉLISA. Lui ? Oh ! je ne veux pas qu'il me voie ! 30

Elle sort.

SCÈNE V

RENÉ, MATHILDE.

MATHILDE, *allant au-devant de René.* D'où arrives-tu?

RENÉ. J'arrive du bureau de M. de Cayolle, qui devait me rendre une réponse définitive aujourd'hui.

MATHILDE. Tu as une place?

5 RENÉ. Oui, depuis dix minutes.

MATHILDE. De combien?

RENÉ. De quatre mille francs.

MATHILDE. Alors je t'ai donné un bon conseil?

RENÉ. Oui.

10 MATHILDE. Et tu venais pour nous apprendre cette nouvelle?

RENÉ. J'avais d'abord été chez M. de Roncourt; on m'avait dit qu'il était ici.

MATHILDE. Avec Élisa! Ils sont là, en effet... Attends 15 un peu... Tu es maintenant en position de te marier, n'est-ce pas?

RENÉ. Oui.

MATHILDE. Eh bien, fais une bonne œuvre. M. Giraud a calomnié Élisa; j'affirme, moi, qu'elle est une honnête fille, 20 mais il lui faut plus que jamais le nom d'un homme estimable; épouse Élisa.

RENÉ. Tu m'avais deviné,[1] Mathilde, je venais...

MATHILDE. Tais-toi donc, maladroit! laisse-moi donc croire que c'est moi qui ai eu cette idée-là comme j'ai eu 25 l'autre que tu as déjà suivie; laisse-moi donc croire que tu n'aimes pas Élisa autrement que comme une amie, que tu ne l'épouses que par dévouement, et que tu sacrifies à son honneur le bonheur que j'aurais pu te donner, puisque...

RENÉ. Puisque?

MATHILDE. Puisque aujourd'hui mon père consent à notre mariage.

RENÉ, *la prenant dans ses bras.* Mathilde, tu es un ange!

MATHILDE. Je le sais bien. 5

SCÈNE VI

LES MÊMES, DURIEU, *puis* DE RONCOURT, MADAME DURIEU, ÉLISA.

DURIEU, *entrant.* C'est ça,[1] embrassez-vous... Vous êtes bien heureux de n'avoir que ça à faire. Il se passe de jolies choses...[2]

MATHILDE. Quoi donc?

DURIEU. Va chercher ta mère, va chercher Élisa, va 10 chercher tout le monde. *Mathilde sort.*

RENÉ. Que vous arrive-t-il?

DURIEU. Tu vas voir... (*Tout le monde entre.*) Vous êtes tous là?

MATHILDE. Oui. 15

DURIEU. Vous êtes attentifs?...

DE RONCOURT. Nous sommes attentifs...

DURIEU. Préparez-vous... Giraud a filé![3]

TOUS. Giraud!

MATHILDE, *à Élisa.* Oh! ma pauvre Élisa, quel bon- 20 heur pour toi!

RENÉ. Vous êtes sûr du fait?

DURIEU. Trop sûr.

DE RONCOURT. Qui vous l'a dit?

DURIEU. Tout Paris. 25

RENÉ. Cela m'étonne bien.

DURIEU. Cela t'étonne, toi? Je te remercie.

RENÉ. Oui, je le croyais plus malin; avec un peu de patience, il vous aurait ruiné complètement.

DURIEU. C'est pourtant assez malin d'emporter six cent
5 cinquante mille francs, rien qu'à deux personnes.[1] Il est vrai que l'une des deux y est pour cinq cent mille francs.[2] C'est la comtesse qui ne doit pas rire. . .[3]

MADAME DURIEU. Tu vois, mon ami, que je ne m'étais guère trompée.

10 MATHILDE, *embrassant Durieu.* Mon pauvre papa . . . nous t'aimons bien !

DE RONCOURT, *lui serrant la main.* Cher ami !

DURIEU. C'est ça . . . allez-y. . . En avant[4] les phrases toutes faites pour ces circonstances-là ! . . . Si vous croyez
15 que je ne me suis pas dit tout ce que vous pouvez me dire . . . et que c'était bien prévu[5] . . . et que j'ai voulu gagner trop d'argent . . . et que c'est bien fait,[6] et que je suis un imbécile. . . Parbleu ! je sais tout cela aussi bien que vous.

MATHILDE. Il y a peut-être encore de l'espoir.

20 DURIEU. Bon ! voilà le tour de l'espoir.

MADAME DURIEU. Dame ! . . . mon ami, on te dit ce qu'on pense. . . Après tout, ce n'est pas notre faute.

DURIEU. Et ça se termine par des reproches. . . C'est toujours la même chose.

25 RENÉ. Enfin, que s'est-il passé?

DURIEU. Giraud jouait à la hausse, la baisse a eu lieu;[7] il a perdu trois millions dans une Bourse;[8] il n'a pas payé, et il est parti hier avec notre argent: c'est d'une simplicité évangélique.[9]

30 DE RONCOURT. Êtes-vous allé chez lui?

DURIEU. Parbleu ![10]

De Roncourt. Eh bien?

Durieu. Il n'a pas reparu depuis hier, et les commis et les domestiques faisaient des figures. . .

René. Et leurs paquets.[1]

Durieu. Eh bien, allons! faisons des mots, faisons de 5 l'esprit; je suis en train, moi! [2]

Madame Durieu. Êtes-vous allé à la Bourse?

Durieu. J'y suis allé, la débâcle était connue, et tout le monde enchanté. On m'en a dit sur lui,[3] ah! Il paraît qu'à une liquidation, il a reçu des soufflets. 10

De Roncourt. Qu'est-ce qu'il a fait, alors?

René. Il s'est fait reporter.[4]

Durieu, *exaspéré.* Continue. . . Ce qui me rend furieux, ce n'est pas tant la perte, mais c'est d'avoir été mis dedans . . . aussi facilement par ce gredin-là. . . Je donnerais dix 15 mille francs! . . .

René. Pour rentrer dans les cent quarante mille autres.

Durieu, *reprenant son chapeau.* Vous comprenez que, du moment que c'est un parti pris de me plaisanter,[5] . . . je vais aller voir la comtesse. Elle perd un demi-million, elle 20 ne plaisantera pas, elle . . .

Le Domestique, *annonçant.* Madame la comtesse Savelli.

SCÈNE VII

Les Mêmes, La Comtesse.

Durieu, *à la comtesse.* Eh bien?

La Comtesse, *riant.* Eh bien, nous sommes volés!

Durieu. Vous riez aussi, vous, comtesse? 25

La Comtesse. Mon cher monsieur Durieu, je crois que c'est ce qu'il y a de mieux à faire. (*Montrant Élisa.*) Voilà

une noble et digne jeune fille dont nous avons douté un instant parce qu'un misérable avait porté une accusation sur elle : il nous emporte notre argent, c'est bien joué . . . et la punition est encore au-dessous de la faute. J'y perds beau-
5 coup ; mais j'aimerais mieux perdre le reste de ce que je possède, que de douter une seconde d'une honnête femme.

Elle embrasse Élisa.

DURIEU. C'est bien vrai, ce que vous me dites là. . . Mais est-ce qu'il n'y aurait pas moyen de lui faire quelque chose,
10 à ce coquin ?

LA COMTESSE. Où le prendre maintenant ? Et quand même,[1] nous n'avons rien à gagner à traîner nos noms devant un tribunal, à côté du nom de M. Giraud, sans compter qu'il trouvera toujours[2] un avocat pour nous dire des choses
15 désagréables. Je crois que le meilleur parti à prendre, c'est de nous taire. C'est une leçon, elle coûte cher, mais elle profitera, d'autant plus qu'elle était prévue . . . le dénouement est écrit partout, c'est toujours le même ; mais chacun de nous croit toujours être plus fin ou plus heureux que les
20 autres. J'ai eu des renseignements par le ministère. M. Giraud s'est embarqué ce matin au Havre ; il vogue vers l'Amérique. Bon voyage ! c'est un voleur de plus dans le monde, dans le nouveau monde.

LE DOMESTIQUE, *annonçant.* M. Jean Giraud.

25 TOUS. Jean Giraud !

SCÈNE VIII

LES MÊMES, JEAN.

JEAN, *entrant et saluant.* Mesdames, messieurs, mon cher monsieur Durieu . . . madame la comtesse.

DURIEU. Comment ! c'est vous ?

JEAN. Oui, c'est moi. Qu'est-ce que vous avez ? Est-ce que vous ne m'attendiez pas ? Ne vous avais-je pas donné rendez-vous pour deux heures, aujourd'hui ? . . .

DURIEU. C'est vrai. 5

JEAN, *tirant sa montre.* Eh bien, deux heures moins cinq. Je suis en avance ; mais, quand il s'agit d'affaires, on n'est jamais trop exact. (*Tirant des papiers de sa poche.*) Eh bien, l'opération a réussi comme je l'espérais. Vous m'aviez confié cinq cent mille francs, madame la comtesse. (*Lui* 10 *remettant un papier.*) Les voici en un bon sur la Banque,[1] tel que vous me l'avez remis ; plus deux cent mille francs de bénéfice en un autre bon. Mon cher monsieur Durieu, voici votre compte à vous : cent cinquante mille francs de capital, que voici, plus cinquante mille francs de gain. J'ai 15 tenu mes engagements, je crois ; à vous, mon cher monsieur Durieu, de tenir les vôtres, et, le mois prochain . . .

LA COMTESSE *et* DURIEU, *ensemble.* Monsieur. . . Je dois vous dire . . .

DURIEU. Pardon, comtesse, commencez ! . . . 20

LA COMTESSE. Je crois que nous allions dire la même chose. (*Remettant à Giraud le bon de deux cent mille francs.*) Je n'accepte pas ce bénéfice, monsieur . . .

DURIEU, *avec un soupir.* Ni moi le mien. (*A madame Durieu.*) Chère amie, veux-tu faire le compte des intérêts 25 de cent cinquante mille francs pendant un mois, à 5, et tu enverras toucher cette petite somme chez M. Giraud ?

MADAME DURIEU. Oui, mon ami.

JEAN. Je ne comprends pas.

LA COMTESSE. Le bruit s'est répandu aujourd'hui que vous 30 aviez disparu avec l'argent que nous vous avions confié . . .

JEAN. J'étais au Havre ! Je n'ai donc plus le droit d'aller au Havre ?

DURIEU. Il paraît que non !

JEAN. C'est trop fort.[1] Eh bien, voici la vérité : je n'ai
5 pas quitté Paris. C'était une malice de Bourse pour vous faire gagner de l'argent. Qu'est-ce que vous en dites ?

LA COMTESSE. Nous en disons, monsieur, que nous ne sommes pas habitués à ces malices-là, et personne n'a douté que le fait ne fût vrai. Notre conscience nous interdit donc
10 de continuer des relations avec vous, d'accepter des bénéfices de la main d'un homme dont la réputation, dans une circonstance aussi grave, n'a pas trouvé un seul défenseur.

JEAN. L'opération par elle-même, je vais vous l'expliquer : elle est très honnête. . .

15 LA COMTESSE. C'est inutile, monsieur : une chose honnête n'a pas besoin d'être expliquée.

JEAN, *regardant René.* Je vois d'où le coup part.

RENÉ. Vous vous trompez, monsieur, je n'ai rien dit de ce que je savais : on m'aurait cru cependant. J'ai mieux
20 aimé laisser la conscience du monde faire son œuvre toute seule. Vous venez de voir, monsieur, que pour certaines gens, les questions d'intérêt ne passent pas avant tout. Maintenant que je suis sans colère, je crois pouvoir vous donner sainement l'opinion du monde à votre égard : Vous
25 n'êtes pas un homme méchant,[2] vous êtes un homme intelligent qui a perdu dans la manipulation de certaines affaires la notion exacte du juste et de l'injuste, le sens moral enfin. Vous avez voulu acquérir la considération par l'argent, c'était le contraire que vous deviez tenter : il fallait
30 acquérir l'argent par la considération. J'espère, je suis convaincu que vous ferez une grande fortune, qui vous dédom-

magera de ce que vous ne pourrez jamais obtenir. Mademoiselle de Roncourt vous pardonne ; elle accepte les excuses que vous faites à madame de Charzay. Maintenant, monsieur, nous n'avons plus rien à vous dire, vous pouvez prendre votre chapeau et vous retirer. 5

Jean va pour parler,[1] *mais il fait un geste de dédain, hausse les épaules et prend un chapeau sur la table.*

MATHILDE. Vous vous trompez, monsieur, vous prenez le chapeau de mon père.

JEAN, *avec fierté.* Je l'aurais rapporté, mademoiselle. 10

Il salue et sort.

SCÈNE IX

LES MÊMES, *hors* JEAN.

DE RONCOURT, *à René.* Mon fils, je suis bien heureux.

DURIEU, *à la comtesse.* Nous avons de la chance d'en être quittes à si bon marché !

MATHILDE, *après avoir serré la main d'Élisa.* Décidément, mon père, j'épouserai M. de Bourville. 15

DURIEU. Et le cousin de Batavia ?

MATHILDE. Oh ! mon père, j'ai oublié de vous le dire : il est mort . . .

DURIEU. Je le sais bien ; comme il a vécu. 20

MADAME DURIEU, *à son mari qui écrit.* Qu'est-ce que vous faites là, mon ami ?

DURIEU, *l'embrassant.* J'écris à mon agent de change de m'acheter du 3.[2]

NOTES

Page 1. — 1. **Question d'argent,** *Money-question*, or *money-problem*. See Introduction.

2. **Fond** means in general the most remote part of anything; hence, here, *the back part of the stage.*

ACT I. SCENE 1.

3. **je me sauve,** *I take refuge.*

Page 2. — 1. **justement,** here equivalent to *this minute.*

ACT I. SCENE 2.

2. **ce n'est . . . son affaire,** *that's not the finest thing about him.*

3. **le bourgeois des bourgeois,** *the quintessence of the middle class.*

4. **hôtel Meurice,** a fashionable hotel opposite the Garden of the Tuileries.

5. **rue de Lille,** in the aristocratic *Faubourg St. Germain.*

Page 3. — 1. **pont des Saints-Pères,** leads from the *Quai du Louvre* to the *Rue des Saints-Pères.*

2. **invalide,** *veteran*: here, the tollman. Veterans frequently fill such positions in France.

3. **était dans son droit,** *had a right to be there.*

4. **voulait bien,** *was kind enough.*

5. **monsieur mon oncle,** *that uncle of mine.*

Page 4. — 1. **qui fait . . . papa,** *who draws post-obits on his father.*

2. **Ah ça!** *Come now!*

3. **forêt de Fontainebleau,** a state park of 42,500 acres, 37 miles south of Paris. The town of Fontainebleau, in the forest, contains a famous royal chateau.

4. **l'État, c'est moi,** the famous expression of Louis XIV (1643–1715), used by him to signify his absolute power.

Page 5. — 1. **Voilà bien un mot de femme!** *Spoken like a woman!*

2. **Ah ça! . . je vous écoute,** *I declare . . . how you talk!*

3. **le nouveau Job!** *a second Job!* (i.e. as poor as Job.)

Page 6. — 1. **Voilà,** *So,* or *there.*

2. **Ah ça !** *Well!*

3. **notes,** *bills.*

Page 7. — 1. **procédé,** *dodge.*

2. **Que voulez-vous !** *What could you expect!*

3. **ce que c'était que compter,** what counting is, i.e., *the value of money.*

4. **Gênes,** Genoa.

Page 8. — 1. **toujours,** *at any rate.*

2. **de Cayolle** is not in apposition with **oncle.**

3. **Il s'est fait tout seul.** *He's a self-made man.*

4. **Poitou,** one of the old provinces of France, on the western coast.

5. **mis en faillite,** *declared bankrupt.* *Faillite* is honorable failure; *banqueroute,* dishonorable failure.

6. **gentilhomme,** *gentleman,* i.e. man of good blood. Gentleman **in** usual sense is *monsieur.*

7. **y ont passé,** *have been swallowed up.* (**y** = in that way.)

8. **Naturellement,** *Of course.*

Page 9. — 1. **Ils en seraient pour leurs frais,** *They would simply have to pay the costs.*

2. **que,** repeats *comme.*

3. **gentilhomme,** cf. page 8, note 6.

4. **Cela se trouve d'autant mieux,** *That is the more lucky.*

5. **petits messieurs,** "*chappies.*"

Page 10. — 1. **le monde,** *society.*

2. **Parfaitement.** *Certainly.*

3. **n'a-t-elle pas dû épouser,** *was she not to have married.*

4. **Voilà,** *Just so.*

Page 11. — 1. **inconséquence,** *indiscretion.*

2. **mettre le prix** properly means "to set a price, to value," as on page 3 line 13. Here, as on page 49, line 28, it seems clearly to mean, *to pay the price, to put up the money.*

3. **Élisa tout court ?** *just Eliza?*

4. **solides,** *sterling.*

5. **à quoi nous en tenir sur le monde,** *what to think of the world's chatter.*

6. **A la bonne heure.** *Good,* or *That's right.* This idiom always expresses approbation. Distinguish from *de bonne heure,* "early."

ACT I. SCENE 3.

Page 12. — 1. **aussi en avons-nous dit,** *and so we have talked;* emphasis on *have.*

ACT I. SCENE 4.

Page 13. — 1. **est d'une grande richesse,** *has a very rich appearance.*

2. **faire une promenade au bois,** *take a drive in the Bois de Boulogne* (the great park west of Paris).

3. **Plaît-il?** *What?*

4. **Mais voilà tout ce qu'elle a,** *But she has nothing but her rank.* (**Voilà** refers to **noble.**)

5. **Elle n'est pas mal.** *She'll do.*

Page 14. — 1. **veut,** *starts to.*

2. **C'est cela,** *That's right.*

3. **s'en rappelle,** "*remembers of her*" (or, *of it*). *Se rappeler* requires a direct object; cf. *se souvenir de.*

4. **Champs-Élysées,** the fine avenue running from the *Place de la Concorde,* near the Louvre, to the *Arc de Triomphe de l'Étoile.*

5. **Jardin d'Hiver** is no longer in existence.

Page 15. — 1. **Après cela, . . . toujours,** *Well, . . . after all.*

2. **Peut-être . . . pense.** Louis XV (1715–1774), was the great-great-grandson of Louis XIII (1610–1643), not the grandson.

3. **Nous nous tenions à,** *We were haggling over.*

Page 16. — 1. **y tiennent,** *insist upon it.*

2. **gâter son effet,** *spoil what he has said.*

3. **que,** *while.*

4. **moutard,** familiar, *little shaver.*

5. **C'est une fière différence, allez!** *It makes a mighty big difference, I can tell you!*

Page 17. — 1. **le père Giraud,** familiar, "*old Giraud,*" or "*uncle Giraud.*"

2. **Ne vous gênez pas,** *Never mind.*

Page 18. — 1. **discute,** *disputes.* For a similar opinion, cf. a contemporary play, Augier's *les Effrontés,* Act I, Scene IV: "*Quant à moi, j'adore l'argent partout où je le rencontre; les souillures humaines n'atteignent pas sa divinité; il est parce qu'il est.*"

2. **course aux écus,** here, *the race for money.* The *écu* was an old coin, of widely varying value; commonly used to-day as equal to 3 francs.

Page 19. — 1. **Jean,** "*poor Jack.*" Allusion to La Fontaine's *Fables,* VII, 10: "Je suis gros Jean comme devant"; *devant = avant.*

2. **Montmartre,** a celebrated hill in the northeast part of Paris, containing old quarries of gypsum.

3. **Machiavel,** *Machiavelli* (1469–1527), the famous Italian writer, statesman and patriot. (*Ch* like *k.*)

Page 20. — 1. **Raphaël** (1483–1520), perhaps the greatest of all painters.

2. **Urbin,** *Urbino,* a city of central Italy, birthplace of Raphaël.

3. **Rousseau** (1712–1778), the greatest French writer of the eighteenth century. He led an irregular life and was frequently in want.

4. **commis-greffier,** *recorder's clerk.* — **encore,** *even then.*

5. **le vapeur,** *steamboat.* (Familiar for *bateau à vapeur.*)

6. **mille écus,** *3,000 francs;* about $600.

7. **qu'il pouvait ne pas payer,** *whom he did not have to pay.*

Page 21. — 1. **solidarité,** *family feeling.* Literally, mutual responsibility.

2. De Cayolle's reply and action are not altogether consistent with his remarks in line 8.

3. **connu,** *made the acqaintance of.*

Page 22. — 1. **Parbleu!** *Of course!*

2. **malin,** *smart.*

ACT I. SCENE 5.

3. **Qui,** *What;* an old construction; for the more usual *Qu'est-ce qui.*

4. **Si,** *Suppose.*

Page 23. — 1. **là,** *at the door,* or *ready.*

Page 24. — 1. **font faire,** *submit.*

2. **enfin, . . . toujours,** *well, . . . at any rate.*

3. **là,** *at the door.*

4. **mettrai au courant,** *will let you know.*

Page 25. — 1. **mettre au courant,** *post, make up.*

2. **un peu,** *a little way.*

ACT I. SCENE 6.

3. **en rentrant,** *on going home.*

Page 26. — 1. **une démarche à faire,** *an application to make ;* i.e. for the lady's hand.

2. **Il pleut, bergère,** a sentimental song by Fabre d'Eglantine, Danton's secretary, who was guillotined in 1794. **bergère,** *shepherdess.*

3. **Voulez-vous que,** *May I.*

ACT I. SCENE 7.

Page 27. — 1. **opération,** *speculation, "thing."*

2. **vous m'en direz des nouvelles,** *you'll see.*

3. **le projet de notre acte de société,** *the draught of our deed of partnership.*

ACT I. SCENE 8.

Page 28. — 1. **On a beau . . . choses,** *Even if I am very young, I notice a great many things.*

2. **traîner,** *lying about.*

3. **s'est endormi dans le bien-être,** *has grown indolent in the midst of comfort.*

4. **ce qu'il était appelé à faire,** *what he ought to have done.*

Page 29. — 1. **Quels yeux tu ouvres !** *How you stare !*

ACT I. SCENE 9.

2. **Note,** cf. page 6, note 3.

ACT II. SCENE 1.

Page 30. — 1. **je ne suis pour rien dans,** *I have nothing to do with.*

2. **fille,** *unmarried.*

Page 31. — 1. **bien en cour,** *in favor at court.*

2. **la Révolution de Juillet,** in the last days of July, 1830, drove from the throne Charles X, (1824–1830) the last of the Bourbons, who had attempted to reëstablish despotic rule.

3. **époux,** *parties.* Literally, partners, spouses.

Page 32. — 1. **s'est mis au mieux avec,** *has won the good graces of.*

ACT II. SCENE 2.

Page 33. — 1. **grosses,** *heavy.*

2. **pris en note,** *noted down.*

3. **croisé de coton,** *twilled cotton.*

4. **Finette** means both (1) twilled cotton, shaggy on one side, i.e., *canton-flannel,* or *cotton-flannel;* (2) *light flannel,* of wool. It may have either meaning here.

ACT II. SCENE 3.

5. **y aller par quatre chemins,** *to beat about the bush.*

Page 34. — 1. **une charge à fond de train,** *a grand cavalry charge.*

2. **d'un grand bonheur,** *very felicitous.*

3. **mais elle . . . gâté.** *But if she had had a little property of her own it would have done no harm.*

Page 35. — 1. **qui accepte de devoir,** *who is willing to owe.*

2. **Si nous nous asseyions,** René's remark is a polite hint that Durieu does not see. — **C'est très juste,** *quite right.*

3. **Parbleu!** cf. page 22, note 1.

4. **Ne vous gênez pas alors.** *Then keep right on.* Literally, don't inconvenience yourself.

5. **Ce n'est pas bête.** *That isn't a bad idea.*

Page 36. — 1. **J'avais besoin d'être prévenu.** *I'm glad you let me know.*

2. **Parbleu!** *By Jove!*

3. **des morales de rechange,** *two sets of morals.* Literally, an extra suit of morals.

Page 37. — 1. **tu ne veux pas d'elle,** *you won't have her.*

2. **Allez toujours,** *Keep on.*

3. **y,** *about it.*

4. **vous êtes fièrement réussi,** *you are a "grand success."*

ACT II. SCENE 4.

Page 38. — 1. **le,** familiar, *your.*

ACT II. SCENE 5.

Page 39. — 1. **une transaction moyennant,** *a compromise for.*

Page 40. — 1. **quand,** *even if.* (*Quand* has this sense only when followed by the conditional.)

2. **Nous prenons notre courage à deux mains,** *We summon up our courage.*

3. **Neuilly,** a northwestern suburb of Paris. The **Porte Maillot** is at the northeast corner of the *Bois de Boulogne.*

Page 41. — 1. **avez été parti,** a rare tense, here = the pluperfect.

Page 42. — 1. **soigne** and **aime** are in the subjunctive.

2. **C'est une idée comme une autre,** *That's quite an idea.*

Page 43. — 1. **tenez,** *by the way.*

2. **Marais,** a quiet part of Paris, between the *Place de la République* and the *Hôtel de Ville.*

3. **dit des folies là,** *been talking nonsense.*

ACT II. SCENE 6.

Page 44. — 1. **un cadeau . . . valeur,** *a gift is valued only if it is not valuable.*

ACT II. SCENE 7.

2. **Encore une boulette,** familiar, *Another "break."*

Page 45. — 1. **comme il faut,** *in good society.* **ça me pose,** *that puts me "in it."*

2. **Jockey,** *the Jockey Club,* a famous sporting and fashionable club.

3. **j'étais trop brodé,** *I was overdressed, had on too many frills.* Literally, too embellished.

4. **gondoles,** *omnibuses.* Cf. the New England misuse of "barge."

5. **Versailles,** the famous palace and park of Louis XIV, about fourteen miles from Paris. The palace is now used as an historical picture-gallery.

6. **coucou,** *passenger-van,* or, *bus,* carrying from four to six people.

Page 46. — 1. **surnuméraire,** *an apprentice clerk,* i.e., one serving without salary, to learn a trade.

2. **chasses,** *hunting-grounds.*

3. **faire sonner,** *jingle.*

4. **Enfin,** *Well.*
5. **ça va encore,** *it isn't so bad.*
6. **à peu près comme il faut,** *pretty decent.*

Page 47. — 1. **Et le chantage au suicide!** *And the attempts at blackmail by threats of suicide!*
2. **j'ai tâté,** *I've rubbed up against.*
3. **mon affaire sera faite,** *I'll be fixed.*
4. **poserait,** cf. page 45, note 1.
5. **Ils sont trop verts,** *It's a case of sour grapes.*

Page 48. — 1. **m'en a touché deux mots sans en avoir l'air,** *has dropped me a hint carelessly.*
2. **mes beaux yeux,** *my good looks.*
3. **qu'est-ce que c'est que ça?** *what does that amount to?* The longer question-form usually indicates some emotion, — surprise, contempt, etc.
4. **fera sauter,** *will fry.*
5. **pendant que . . . poêle.** Literally, while I hold the handle of the frying-pan; i.e., while I do the hard work. It may be translated, *while I shovel on the coal.*

Page 49. — 1. **toquade,** *hobby.*
2. **Je tiens mon affaire . . . de la routine,** *I have the inside track now, I'm going to smash all the old-fashioned bankers.*
3. **Si j'y mets le prix,** cf. page 11, note 2.

Page 50. — 1. **rude affaire,** "*fat job.*"
2. **malice,** *smartness.* — 3. This epigram has become famous.

ACT II. SCENE 8.

Page 52. — 1. **le bien,** *what is good.*
2. **ton,** *a.*
3. **embrasse-moi bien fort,** *give me a good kiss.*

Page 53. — 1. **Ah ça!** Cf. page 5, note 2.

ACT II. SCENE 10.

2. **Eh bien, mon maître,** *Well, governor.*

Page 54. — 1. The reckoning is wrong. It could be corrected by assuming a misprint in the Paris edition and transposing *quatre-vingt-cinq* in line 2 and *quinze* in line 5. (Cf. page 52, lines 22-23.) — Line 10 could be corrected by omitting *deux francs*, which may have been accidentally repeated from line 5.

2. **monnaie,** *change.*

3. **acte de société,** cf. page 27, note 3.

4. **Nous nous constituerons,** *We'll set up.*

5. **toujours,** cf. page 8, note 1.

Page 55. — 1. 7, i.e. 7 *pour cent.*

2. **Vous m'en direz bien un mot?** *You'll tell me a little about it, won't you?*

3. **c'est à prendre ou à laisser,** *you can take it or you can leave it.*

4. **touché,** *realized.* **vous me mettrez au courant,** *you'll let me into the secret.*

Page 56. — 1. **Nous sommes des brûleurs, nous autres,** *We're hustlers, we fellows.* Cf. "scorchers," in bicycle slang.

2. **il ne manquerait plus que je vous donne,** *it would be a fine idea for me to give you.* Literally, nothing more would be lacking but that I should give you.

Page 57. — 1. **malices . . . cousues de fil blanc,** *transparent tricks,* i.e. tricks easily seen, as white thread on dark cloth.

2. **dans ces derniers temps,** *nowadays.*

3. **fait banqueroute,** cf. page 8, note 5.

4. **coup,** "*scoop.*"

5. **en,** *in it.* **libre à vous,** *suit yourself.*

6. **fait,** *agreed, a bargain.*

Page 59. — 1. **faites passer les écritures,** *have it entered on the books.*

2. **Allons, . . . aujourd'hui.** *Well, come along; but you will have had a long ride to-day.*

ACT III. SCENE 1.

3. **là,** *in.*

Page 60. — 1. **la Norma,** a well-known opera by Bellini (1803–35).

2. **Écosse,** *Scotland.*

3. **folle,** *madcap.*

4. **Parlez.** *What is it?*

Page 61. — 1. **fait . . . fait.** Translate *produces*, to keep the pun.

2. **monsieur son fils,** *his precious son.* **Clichy,** the debtors' prison. Imprisonment for debt is not legal now in France.

3. **en soit réduit à,** *should be reduced to the point of.*

4. **Qu'est-ce que c'est que cela ?** *Why, what's that?* Cf. page 48, note 3.

Page 62. — 1. **laboureur,** *ploughman,* not "laborer."

2. **Quand vous y aurez mis le nez une fois,** *Once you have gone into it.*

Page 63. — 1. **à trouver,** *unsolved.*

2. **à sa première réquisition,** *on demand.*

3. **à qui de droit,** *to whom it may concern.*

Page 64. — 1. **A la bonne heure.** Cf. page 11, note 6.

2. **projets,** *plans.*

3. **malin,** *a smart fellow.*

4. **l'élasticité de ses moyens,** *his suppleness of mind.* **Moyens** here means mental abilities.

5. **administrations,** *corporations.*

6. **s'écroulent dans le scandale,** *fall with a crash.*

Page 65. — 1. **Voulez-vous bien.** Cf. page 3, note 4.

ACT III. SCENE 2.

Page 66. — 1. **j'irai vous serrer la main,** *I'll drop in to see you.* Literally, to shake hands with you.

ACT III. SCENE 3.

2. **locations,** *leases.*

3. **C'est à ne plus s'y reconnaître,** *One can hardly find his way through it.*

4. **valeurs portatives,** *negotiable securities.*

5. **une quittance générale contre,** *to release me from all obligations for.*

6. **procédure en règle,** *regular lawsuit.*

Page 67. — 1. **aplomb,** *effrontery.*

2. **pots-de-vin,** *bribes.*

Page 68. — 1. **revanche,** *compensation.*

2. **il est parti de très bas,** *he is of very low origin.*

Page 69. — 1. **avec bonheur,** *cheerfully.*

2. **bureau,** *government office.*

ACT III. SCENE 4.

Page 70. — 1. **à l'instant,** *a moment ago.*

2. **La définition,** i.e., "*l'argent des autres,*" page 50, line 18.

Page 71. — 1. **C'est un prix fait comme pour les petits pâtés.** *It's a set price.*

2. **braise,** *bits of charcoal.*

3. **petite pluie fine,** *drizzle.*

4. **J'ai passé par là,** *I've been through it.*

5. **Il y a une fière différence, allez.** Cf. page 16, note 5.

6. **sans arrière-pensée,** *without concealed motive.*

Page 72. — 1. **monde,** cf. page 10, note 1.

2. **vous aviez à me parler,** *you had something to speak about with me.*

ACT III. SCENE 5.

Page 74. — 1. **tous les dévouements,** *all kinds of self-sacrifice.*

2. **que** repeats **si.**

3. **quand même,** *in spite of everything.*

Page 75. — 1. **dit,** *settled.*

ACT III. SCENE 6.

Page 76. — 1. **J'ai dû épouser,** cf. page 10, note 3.

Page 77. — 1. **galant homme,** *gentleman.* Cf. *homme galant,* "gallant man."

ACT IV. SCENE 1.

Page 78. — 1. **Sologne,** a once fertile country, ruined by the 16th century wars, was in 1857 sandy, marshy and unhealthy. It has been somewhat improved since then. It is in the center of France, south of Orleans.

2. **Tu dis?** *What's that?*

Page 79. — 1. **il s'en tirerait très bien,** *he would manage very well.*

2. **faire valoir,** *cultivate.* Literally, make them produce.

Page 80. — 1. **majorat,** *entailed estate.* **immeuble inaliénable,** *landed property that cannot be transferred.*

2. **deux choses,** i.e., "expectations" and "hopes."

3. **Il s'est trouvé . . . arrêté,** *He happened to be . . . detained.* A pun on the two meanings of *arrêter:* "stop" and "arrest."

Page 81. — 1. **Un parent à moi,** *A relative of mine.*

Page 82. — 1. **il s'en rapporte à moi,** *he leaves the matter in my hands.*

2. **Dis un peu,** *Do tell me.*

ACT IV. SCENE 2.

3. **coté,** *quoted* (on the Stock Exchange).

Page 83. — 1. **tous mes compliments,** *my warmest congratulations.*

Page 84. — 1. **gardes du commerce,** *constables.*

2. **Clichy,** see page 61, note 2.

3. **bien,** *comfortable.*

Page 85. — 1. **Actions** means (1) *shares;* (2) *deeds.* The pun is untranslatable. — 2. **fût . . . poursuite,** *should be threatened by a suit of that kind.* — **raison sociale,** *firm name:* an untranslatable pun on *raison.*

3. **une couverture,** *security.*

4. **monsieur mon fils,** cf. page 61, note 2.

5. **Nous nous retrouverons là,** *We'll come back.*

ACT IV. SCENE 3.

Page 86. — 1. **ce que c'est que l'amour,** *that's what love does.*

2. **corbeille de mariage,** *wedding-present from the groom.*

3. **valaque,** *Wallachian.* Wallachia has formed part of Roumania since 1861.

Page 87. — 1. **Mon Dieu, comme c'est malheureux!** *Dear me, what a pity it is!*

2. **bonnes,** *fashionable.*

3. **je t'aime bien,** *I am very fond of you.*

4. **qu'il . . . donnera** is ungrammatical; understand either *qui . . . donnera,* or *qu'il . . . donne* (subj.).

Page 88. — 1. **Tout bonnement,** *Just so.*

2. **les grandes,** *the upper class.*

3. **dans les suifs,** *in the tallow business.*

4. **bouts de manche,** *oversleeves, sleeve-protectors.*

5. **receveur particulier,** *tax-collector* (of only one sort of tax, as opposed to the *receveur général* of higher rank).

6. **à n'y pas croire,** *incredible.*

7. **marchand de nouveautés,** *dry-goods dealer.*

8. **a fait saisir chez nous pour 125 francs,** *sued out an attachment on our property for a debt of $25.*

Page 89. — 1. **C'est de l'importation,** *He's an imported article.*

2. **va,** *I can tell you.*

3. **poussé les hauts cris,** *made a great to-do.*

Page 90. — 1. **feux de Bengale,** *colored lights.*

2. **féerie,** *fairy-scene.*

3. **moi qui ne devine pas,** *to think that I shouldn't guess.*

4. **j'ai mal aux nerfs!** *it's nervousness!*

5. **ces derniers,** *recent.*

6. **bien,** *just at the right time.*

ACT IV. SCENE 4.

Page 91. — 1. **bonne pour,** *kind to.*

Page 92. — 1. **une sainte femme,** *a saint.*

ACT IV. SCENE 5.

Page 93. — 1. **je n'ai plus bien ma tête,** *I am much upset.*

2. **je ne suis pas en train de plaisanter,** *I am not in the mood for joking.*

Page 94. — 1. **maladresse,** *blunder.*

ACT IV. SCENE 6.

Page 95. — 1. **Dans huit jours,** *A week* (not eight days) *from to-day. Dans,* in expressions of time, means "at the end of," *en* denotes duration.

ACT IV. SCENE 7.

Page 96. — 1. **Vous m'avez fait demander?** *You asked to see me?*

2. **maître,** title of the notary, before whom the contract is signed. *Maître* is also applied to lawyers.

3. **civiles,** *civil,* as opposed to the religious ceremony.

4. **Il y aura . . . époux,** *Each of the two parties shall hold separate estate.*

5. **régime,** *system.*

Page 97. — 1. **se constitue personellement en dot,** *settles on herself as personal dowry.*

2. **je vous reconnais,** *I acknowledge that you bring.*

Page 98. — 1. **en dehors de moi,** *apart from me.*

2. **échelle** means (1) *scale,* (2) *ladder.* The pun seems untranslatable

3. **retrouve** and **aide** are in the subjunctive.

Page 99. — 1. **de votre chef,** *on your own account.*

2. **ça,** often, as here, used in speaking of persons.

3. **On laisse dire,** *We'll let them talk.*

4. **Quand je pense,** *To think.*

Page 100. — 1. **c'est inutile,** i.e., that you should stay.

ACT IV. SCENE 8.

2. **Elle est bonne, hein?** *She's a fine one, isn't she?*

3. **c'est bien . . . quelque chose,** *she ought at least to be of some use.*

Page 102. — 1. **Allons donc!** *Will it, indeed!* or "*Come off!*"

2. **Vous m'ennuyez, à la fin!** *You make me tired, I tell you!*

3. **Là-dessus,** *And now.*

ACT V. SCENE 1.

Page 103. — 1. **chère amie!** *my dear!*

2. **démarche,** cf. page 26, note 1.

Page 104. — 1. **homme** is in apposition with **cousin.**

2. **n'a pas de volonté, elle,** *has no will in the matter, for her part.*

3. **à vous,** cf. page 81, note 1.

Page 105. — 1. **arrivé,** *managed.*
2. **se tiennent,** *are dependent on each other.*

Page 106. — 1. **affaire,** *speculation,* "*flyer.*"
2. **Est-ce à dire,** *Do you mean to say.*
3. **qui** = *celui qui.*

Page 107. — 1. **A la bonne heure!** Cf. page 11, note 6.
2. **la petite rusée!** *the sly puss!*
3. **Quand on pense.** Cf. page 99, note 4.

ACT V. SCENE 2.

Page 108. — 1. **dire que vous êtes là, et qu'elle vienne.** Notice the difference in mood, and difference in meaning.

ACT V. SCENE 4.

Page 110. — 1. **Tu en es encore là?** *You are still harping on that?*

ACT V. SCENE 5.

Page 112. — 1. **Tu m'avais deviné,** *You had guessed my thoughts.*

ACT V. SCENE 6.

Page 113. — 1. **C'est ça,** cf. page 14, note 2.
2. **Il se passe de jolies choses,** *Fine things are going on.*
3. **filé,** familiar, "*cut stick,*" "*skipped.*"

Page 114. — 1. **rien qu'à deux personnes,** *just from two persons.*
2. **y,** *in.* **500,000 francs:** then Durieu must have been "in" for 150,000 fr., as his wife said, not for 100,000 only. Cf. page 104, line 31; page 105, line 1.
3. **C'est la comtesse qui ne doit pas rire,** *The countess can't feel very cheerful.*
4. **C'est ça . . . allez-y . . . En avant,** *That's right, . . . keep right on, . . . Out with.*
5. **c'était bien prévu,** "*I told you so.*"

6. **c'est bien fait,** *it serves me right.*

7. **jouait à la hausse, la baisse a eu lieu,** *was bulling the market, stocks tumbled.*

8. **une Bourse,** *one meeting of the Stock Exchange.*

9. **c'est d'une simplicité évangélique,** *it's as simple as A B C.*

10. **Parbleu!** Cf. page 22, note 1.

Page 115. — 1. **faisaient des figures . . . et leurs paquets,** *were making wry faces . . . and making ready to leave.* A pun on two of the meanings of *faire.*

2. **Eh bien . . . moi.** *Well, keep on! Let's make jokes, let's be witty; I feel just like it, I do!*

3. **On m'en a dit sur lui,** *They've told me fine stories about him.*

4. **Il s'est fait reporter.** *He postponed repayment* (i.e. of the slap received). *Se faire reporter* is an operation of the Stock Exchange involving the postponement of meeting one's obligations. Cf. page 102, ll. 7-8.

5. **du moment . . . me plaisanter,** *since everyone has made up his mind to make fun of me.*

ACT V. SCENE 7.

Page 116. — 1. **Et quand même,** *And even if we did* (catch him).

2. **il trouvera toujours,** *he will manage to get somehow.*

ACT V. SCENE 8.

Page 117. — 1. **un bon sur la Banque,** *a check on the Bank of France.*

Page 118. — 1. **C'est trop fort,** *That's a little too much,* or, *That's pretty tough.*

2. **méchant,** *ill-meaning.*

Page 119. — 1. **va pour parler,** *starts to speak.*

ACT V. SCENE 9.

2. **agent de change,** *stock-broker;* licensed and registered by the government. An unlicensed broker is called *courtier.* **du trois,** *some three per cent bonds.*

VOCABULARY

VOCABULARY

From this vocabulary are omitted: pronouns (except indefinites), numerals, and most words identical in form and meaning in French and English.

A

à, to, at, on, from, of, in, with, for, by.
abandonner, to desert.
abord (d'), first, in the first place, at first.
abriter, to shelter.
absolument, absolutely.
accepter, to accept.
acception, *f.*, meaning.
accompagner, to accompany, escort, come with.
accord, *m.*, chord.
accorder, to grant.
accroc, *m.*, hitch.
accueillir, to welcome.
acheter, to buy.
acquéreur, *m.*, purchaser.
acquérir, to acquire, win.
acquitter, to pay.
action, *f.*, deed, share of stock.
actionnaire, *m.*, shareholder.
adieu, -x, *m.*, good-bye.
administrateur, *m.*, director.
administration, *f.*, management.
adorer, to adore.
adresser, to address, turn over.
adroitement, skilfully.
affaire, *f.*, affair, question; *pl.*, business, business-affairs; **en —**, engaged.
affecter, to affect, pretend.
affirmer, to affirm.
affreu-x, -se, frightful.
afin que, in order that. [to.
âge, *m.*, age; **en — de**, old enough
agir, to act; **s'— de**, to be a question of.
agiter, to discuss.
agréable, agreeable.
agréer, to approve, receive favorably.
aider, to help.
aïeu-l, -x, *m.*, ancestor.
ailleurs, elsewhere; **d'—**, besides.
aimable, agreeable, kind.
aimer, to love; **— bien**, to love dearly, be fond of; **— mieux**, to prefer.
ainsi, thus, in this way, like this, therefore.
air, *m.*, appearance; *pl.*, manners; **avoir l'—**, to seem; **sans avoir l'— de rien**, without seeming to attach any importance to it.
aise, glad.
ajouter, to add.
allemand, German.
aller, to go, be going, be about to, start, be (*of health*), become, suit; **— au-devant de**, to go to meet; **— chercher**, to look for; **— vite**, to be expeditious, be a "hustler"; **s'en —**, to leave, be going; **allons**, come!, well!; **ça va bien**, things are going well; **j'y vais**, I'm coming, I'll be there at once.
alors, then.
amant, *m.*, lover, paramour.
ambitionner, to aspire to.
amener, to bring, come with.

Amérique, *f.*, America.
ami, *m.*, friend; **mon —**, my dear.
amie, *f.*, friend; **chère —**, my dear.
amitié, *f.*, friendship, affection.
amour, *m.*, love.
amoureu-x, -se, in love.
amour-propre, *m.*, self-respect.
amuser, to amuse; **s'—**, to enjoy oneself.
an, *m.*, year.
analogue, similar, congenial.
ancien, -ne, old, former.
ange, *m.*, angel.
Angleterre, *f.*, England.
année, *f.*, year.
annonce, *f.*, announcement.
annoncer, to announce, inform, appoint.
anonyme, anonymous. (*See under* **société**.)
apercevoir, to perceive; **s'—**, **s'— de**, *ib.*
appeler, to call; **s'—**, to be called, be named.
appointements, *m. pl.*, salary.
apport, *m.*, property brought.
apporter, to bring.
apprécier, to appreciate.
apprendre, to inform, tell, learn, teach.
approcher (s'), to come up.
approuver, to approve, approve of.
après, after, afterwards; **—?** What next?
après-demain, day after tomorrow.
argent, *m.*, money, silver.
arrangement, *m.*, compromise.
arranger, to arrange, fit up, put in order; **s'—**, to turn out all right.
arrêter, to stop, arrest, decide on; **s'—**, to stop.
arrière-boutique, *f.*, back-shop.
arrivée, *f.*, arrival.
arriver, to arrive, come, happen, succeed; **— à**, to reach, get to, happen, succeed.
assassinat, *m.*, assassination, murder.
asseoir, to seat; **s'—**, to sit down.
assez, enough.
assiéger, to beset.
associé, *m.*, partner.
associer (s'), to go into partnership.
assuré, assured, secure.
attachant, interesting, fascinating.
attaquer, to attack.
atteindre, to reach.
attelage, *m.*, team, pair.
attendre, to wait for, wait, expect; **en attendant**, meanwhile; **s'— à**, to expect.
attendrir, to touch the heart; **s'— sur**, to be touched by, shed tears over.
attenti-f, -ve, attentive.
attentivement, attentively.
attirer, to attract, draw.
aucun, any, no, none.
augmenter, to increase; **s'—**, *ib.*
aujourd'hui, today; **— même**, this very day.
aumône, *f.*, alms.
auprès de, to.
aussi, also, as, so; and so (*when beginning a clause*).
aussitôt que, as soon as.
autant, as much, as many; **d'autant**, so much the, all the.
autoriser, to authorize.
autour de, around.
autre, other, different; **un — vous-même**, a second self; (**autre** *is not to be translated between a personal pronoun and a following noun in apposition*).
autrefois, formerly; **d'—**, of old.
autrement, otherwise; **— dit**, in other words.
avance, *f.*, advance; **à l'—** *or*

d'—, beforehand; **en—**, ahead of time.
avancer, to be fast.
avant, before; — **de**, *ib.*
avantage, *m.*, advantage.
avantageu-x, -se, advantageous.
avant que, before.
avare, miserly.
avec, with, from, on.
avenir, *m.*, future; **de l'—**, good prospects.
aventure, *f.*, adventure.
aveu, -x, *m.*, confession, admission.
avis, *m.*, opinion, mind, advice.
avocat, *m.*, advocate, court-lawyer.
avoir, to have, get; — **à**, to have to, have reason to; — . . . **ans**, to be . . . years old; — **beau**, to be in vain; **y —**, there to be; **il y a**, there is, there are, ago; **il n'y a pas à**, it is impossible to; **Qu'est-ce que tu as?** What is the matter with you?
avoué, *m.*, attorney.
avouer, to admit, confess.

B

bagatelle, *f.*, mere trifle.
bague, *f.*, ring.
baiser, to kiss.
bal, *m.*, ball, dance.
ban, *m.*, marriage-bans.
banc, *m.*, bench.
Banque, *f.*, the Bank of France (*a national institution*).
banquier, *m.*, banker.
barbe, *f.*, beard.
barbouilleur, *m.*, dauber.
barque, *f.*, craft.
bas, -se, low; **en —**, downstairs.
bâtir, to build.
battant, driving.
battre, to beat; **se —**, to fight.
be-au, -l, -lle, beautiful, handsome, fine.
beaucoup, much, many.
beauté, *f.*, beauty.
bénéfice, *m.*, benefit, profit.
bénir, to bless.
besoin, *m.*, need.
bêta, *m.*, numskull, "chump".
bête, stupid, a bad idea.
bêtise, *f.*, foolish thing.
bibliothèque, *f.*, library.
bien, *m.*, good, blessing, property.
bien, good, good-looking, comfortable.
bien, well, very, indeed, greatly, quite, right, clearly, certainly, just, really, for that matter; **très —**, all right, very good; **c'est —**, very well; **eh —!** Well!; — **des**, many; — **d'autres**, far worse ones, many others; — **que**, although.
bien-être, *m.*, welfare, comfort.
bienfaiteur, *m.*, benefactor.
bientôt, soon; **à —**, I'll see you again soon.
bijou, -x, *m.*, jewel.
bijoutier, *m.*, jeweler.
billet, *m.*, note, bank-note.
biographique, biographical.
blanc, -he, white.
blanchisseuse, *f.*, laundress.
blesser, to hurt.
boire, to drink.
bois, *m.*, wood, woods.
bon, *m.*, good, good points, check; **à quoi —?** why? what is the use of?
bon, -ne, good, kind, all right, useful, pleasant.
bonheur, *m.*, good luck, happiness.
bonhomme, *m.*, old codger, duffer.
bonjour, good morning, how do.
bonne, *f.*, maid-servant.
bonnement, simply; **tout —**, *ib.*, precisely.

bonnet, *m.*, *usually* cap; *apparently* "bonnet" *in 6, 28.*
bonsoir, *m.*, good night.
bonté, *f.*, kindness; **avoir des —s**, to be kindly disposed towards.
bottine, *f.*, shoe.
boucher, *m.*, butcher.
bouger, to stir.
boulanger, *m.*, baker.
bouleversement, *m.*, upheaval.
bourgeois, *m.*, middle-class person.
bourgeoisie, *f.*, middle-classes.
Bourse, *f.*, Stock Exchange.
bout, *m.*, end.
boutique, *f.*, shop.
bras, *m.*, arm.
brave, good, fine.
brillant, brilliant, splendid.
broder, to embroider.
bruit, *m.*, noise, stir, sensation, rumor.
brusque, sudden.
bruta-l, -ux, brutal, brute.
bureau, -x, *m.*, office.
but, *m.*, object, goal, point.

C

cabinet, *m.*, office.
cachemire, *m.*, cashmere.
cacher, to hide; **en se cachant**, stealthily.
cadeau, -x, *m.*, gift.
caisse, *f.*, safe, bank, office.
caissier, *m.*, cashier.
calcaire, calcareous.
calcul, *m.*, plan, scheming, scheme.
calomnie, *f.*, slander.
calomnier, to slander.
campagne, *f.*, country.
canapé, *m.*, lounge.
capacité, *f.*, capacity.
capita-l, -ux, *m.*, capital, funds.
capitale, *f.*, capital (*City*).
car, for.
caractère, *m.*, character.
carrière, *f.*, profession, quarry
carrossier, *m.*, carriage-maker.
carte, *f.*, card, certificate.
cas, *m.*, case.
casser, to break.
cause, *f.*, cause; **à — de**, because [of.
causer, to talk, chat.
causeu-r, -se, talkative.
cela, that; **c'est —**, that's right, all right.
censer, to suppose.
centime, *m.*, centime (*one hundredth of a franc*, q. v.)
cependant, however, nevertheless.
cercle, *m.*, club.
certain, certain, some (*before the noun*); certain, certain to succeed, positive (*after the noun.*)
certainement, certainly.
cesser, to cease; **— de voir**, to break off an acquaintance.
chacun, each, apiece.
chagrin, *m.*, grief, pain, concern, sorrow.
chaise, *f.*, chair.
châle, *m.*, shawl.
chambre, *f.*, room, bed-room.
chance, *f.*, luck; **mauvaise —**, piece of bad luck.
changement, *m.*, change.
changer, to change; **— de**, *ib.*
chapeau, -x, *m.*, hat.
chaque, each.
charge, *f.*, burden.
charger, to charge, commission; **se — de**, to take charge of undertake to.
charité, *f.*, charity.
charmant, charming.
chasser, to drive, dismiss.
château, *m.*, castle, country-seat.
chaud, warm.
chaux, *f.*, lime.
chemin, *m.*, way; **— de fer**, railroad.

ch-er, -ère, dear, expensive.
chercher, to look for, seek, get.
cheva-l, -ux, *m.*, horse.
cheveu, -x, *m.*, hair.
chez, at *or* to the home (house, appartment, etc.) of, at *or* to....'s, with, in, on the part of.
chien, *m.*, dog.
chiffre, *m.*, monogram.
chimiste, *m.*, chemist.
choisir, to choose.
choix, *m.*, choice.
chose, *f.*, thing, matter; **grand' —**, very much.
Cie, *abbreviation for* **compagnie**, *f.*, company.
cigare, *m.*, cigar.
circonstance, *f.*, circumstance, case, occasion.
circuler, to go about.
clairement, clearly.
clef, *f.*, key; **sous —**, under lock and key.
clerc, *m.*, clerk.
client, *m.*, customer, patron.
cœur, *m.*, heart, spirit; **de —** honorable; **de grand —**, with all my heart.
coin, *m.*, corner.
colère, *f.*, anger.
collet, *m.*, collar.
combattre, to combat.
combien, how many, how much, how.
combinaison, *f.*, scheme.
combler, to overwhelm, make blush.
comédie, *f.*, comedy.
commander, to order.
comme, like, as, how, the way.
commencement, *m.*, beginning.
commencer, to begin.
comment, how, what! how so!; **— donc!** why of course!
commenter, to comment on.
commerçant, *m.*, merchant.
commettre, to commit.
commis, *m.*, clerk.
commissionaire, *m.*, porter.
commode, convenient.
commun, *m.*, common.
communiquer, to make known.
compagne, *f.*, companion.
compagnie, *f.*, company.
comparaître, to appear.
complètement, completely.
compliment, *m.*, compliment; **faire mon —**, to congratulate.
complimenter, to congratulate.
compositeur, *m.*, composer.
comprendre, to understand.
compromettre, to compromise.
comptant, ready.
compte, *m.*, bill, account; **sur le —**, about.
compter, to count, reckon, rely, intend, expect; **sans —**, to say nothing of the fact.
comte, *m.*, count.
comtesse, *f.*, countess.
concurrent, *m.*, rival.
condition, *f.*, circumstance, condition.
conduire, to conduct, steer, drive.
conduite, *f.*, conduct.
confiance, *f.*, confidence, trust.
confidence, *f.*, disclosure; **faire sa —**, to confide, confess.
confident, *m.*, confidant.
confier, to confide, entrust.
conformer (se), to conform, comply.
confrère, *m.*, associate.
connaissance, *f.*, knowledge, acquaintance.
connaître, to know, make the acquaintance of, learn.
conquête, *f.*, conquest.
conseil, *m.*, advice, piece of advice.
conseiller, to advise.
consentir, to consent.
considération, *f.*, respect, esteem.
considérer, to respect.
conspiration, *f.*, conspiracy, plot.

consulter, to consult.
contenir, to contain, restrain.
content, contented, glad, happy, pleased.
contenter, to content.
conter, to tell.
contestation, *f.*, contest, dispute.
continuer, to keep on, keep up.
contracter, to arrange for, place.
contraindre, to compel.
contraire, *m.*, contrary.
contrat, *m.*, wedding-contract.
contre, against, with, in exchange for.
convaincre, to convince.
convenable, as it should be, satisfactory.
convenir, to agree, settle, suit.
convertir, to convert.
copiste, *m.*, copyist.
coquin, *m.*, rascal.
cordonnier, *m.*, shoemaker.
côté, *m.*, side; **à — de**, alongside of, in comparison with; **de —**, aside; **du — de**, towards; **d'un autre —**, on the other hand.
coucher, to lie; **se —**, to go to bed.
coude, *m.*, elbow.
couler, to flow.
coup, *m.*, blow, shot.
couper, to cut, divide.
cour, *f.*, court; **faire la —**, to court.
courant, *m.*, course.
courir, to run, hasten.
course, *f.*, race.
court, short.
courtage, *m.*, commission.
cousine, *f.*, cousin.
coûter, to cost, come hard.
coutume, *f.*, custom.
couturière, *f.*, dressmaker.
couvent, *m.*, convent.
craindre, to fear.
créancier, *m.*, creditor.
créature, *f.*, person, woman.
créer, to create, issue.
cribler, to riddle; **criblée de dettes**, head over heels in debt.
croire, to believe, think; **je le crois bien!** I should think I do!
curieu-x, -se, curious.

D

dame, *f.*, lady.
dame! why, well.
dans, in, within, from now, at, of.
danser, to dance.
davantage, more, longer.
de, of, from, to, by, with, since, for, in, on, concerning, as.
débâcle, *f.*, crash.
debout, standing.
débrouiller, to disentangle.
débuter, to begin, set out.
déchirer, to tear up.
décidément, positively, decidedly.
décider, to decide, make consent; **se —**, to make up one's mind, give in.
décor, *m.*, stage-setting.
décourager, to discourage.
découverte, *f.*, discovery.
découvrir, to discover.
dédain, *m.*, scorn.
dedans, inside.
dédommager, to compensate, indemnify.
déduire, to deduct.
défendre, to forbid; **se — de**, to deny.
défenseur, *m.*, defender.
définiti-f, -ve, definite.
défricher, to clear.
dehors, outside; **en — de**, apart from, in addition to.
déjà, already.
déjeuner, to breakfast, lunch.
délai, *m.*, delay, postponement.
délicat, delicate.
délicatesse, *f.*, delicacy.

délivrer, to deliver.
demain, tomorrow.
demande, *f.*, request.
demander, to ask, demand; **se —**, to wonder; **— en mariage**, to ask one's hand.
démasquer, to unmask, expose.
demi, half, a half.
demoiselle, *f.*, Miss, young lady.
dénouement, *m.*, outcome.
dentelle, *f.*, lace.
départ, *m.*, departure.
dépendance, *f.*, dependency.
dépenser, to spend.
déposer, to put down.
déposséder, to dispossess, deprive, rob.
dépôt, *m.*, deposit.
depuis, since, from, for, afterwards.
depuis que, since.
déranger, to disturb, trouble.
derni-er, -ère, last.
dernièrement, recently.
derrière, behind.
dès, from; **— demain**, no later than tomorrow.
désagréable, disagreeable.
déshonnête, dishonest.
déshonorer, to dishonor.
désigner, to describe, point at.
désirer, to wish.
désireu-x, -se, desirous, anxious.
désolé, very sorry.
désordre, *m.*, disorder.
dès que, as soon as.
dessaisir (se), de, to let go of.
dessous, below; **au- — de**, below, less than.
dessus, over, on top; **au- — de**, above, greater than.
destinée, *f.*, lot, fate.
détail, *m.*, detail; **en —**, retail.
détester, to detest.
dette, *f.*, debt.
devant, before, in front, in the presence of.
devenir, to become, become of.
deviner, to guess, guess right, divine one's wishes *or* thoughts.
devoir, to owe, must, ought, be to.
devoir, *m.*, duty.
dévoué, devoted.
dévouement, *m.*, self-sacrifice.
diable, *m.*, devil, the deuce.
diamant, *m.*, diamond.
Dieu, *m.*, God; **mon —**, why.
différent, various.
difficile, hard, hard to please.
digne, worthy.
dignité, *f.*, dignity.
diligence, *f.*, stage-coach.
dimanche, Sunday.
dîner, to dine.
dîner, *m.*, dinner.
dire, to say, tell, to think (*exclamatory*); **— du mal**, to slander; **être dit**, to be over.
diriger, to direct.
discuter, to discuss, argue.
disparaître, to disappear.
disposer, to dispose; **— de soi**, to be one's own master, decide for oneself; **se —**, to get ready.
disposition, *f.*, disposal, arrangement, plan.
distraire, to amuse, divert.
distribuer, to distribute, allot.
diviser, to divide.
division, *f.*, disagreement, variance.
doigt, *m.*, finger.
domestique, *m.*, servant.
donc, then, and so, therefore; please, just, do (*with an imperative*).
donner, to give, ascribe, set; **— sur**, to overlook; **se —**, to take; **— de ses nouvelles**, to let one hear from one.
dorer, to gild.
dos, *m.*, back.
dot, *f.*, dowry.

doter, to furnish a dowry to
doublure, *f.*, lining.
douleur, *f.*, grief.
douloureu-x, -se, painful.
doute, *m.*, doubt.
douter, to doubt; — **de**, *ib*; **se — de**, to suspect.
douteu-x, -se, dubious.
dou-x, -ce, gentle, easy-going.
droit, *m.*, right, claim; **être dans son —**, to act within one's rights; **en —**, entitled.
droit, straight.
drôle, amusing, funny.
duc, *m.*, duke.
duchesse, *f.*, duchess.
dur, hard, harsh.
durer, to last.

E

eau, -x, *f.*, water.
échange, *m.*, return.
échapper, to escape, be lost.
éclairer, to enlighten.
éclater, to break out.
économies, *f. pl.*, savings, economizing.
économique, economical.
écouter, to listen, listen to.
écrire, to write.
écriture, *f.*, writing.
écrivain, *m.*, writer; — **public**, public writer, scribe (*for those unable to write.*)
écu, *m.*, crown (=*3 or 5 francs*); *pl.*, money.
effet, *m.*, effect, impression; **en —**, in fact.
égal, equal; **être —**, to be all the same.
égard, *m.*, regard; **à l'— de**, in regard to.
église, *f.*, church.
égoïsme, *m.*, selfishness.
élève, *m. and f.*, pupil.
élever, to bring up; **bien élevé**, well-bred.
éloge, *m.*, praise.
éloigner, to keep from; **s'— de**, to go off from, desert.
embarquer (s'), to embark.
embarras, *m.*, embarrassment, difficulty.
embranchement, *m.*, branch road.
embrasser, to embrace, kiss, adopt.
émission, *f.*, issue.
emmener, to take.
émouvoir, to move.
employer, to use.
emporter, to carry off, **run away** with; **s'—**, to fire up, get excited.
emprunt, *m.*, borrowing, loan.
emprunter, to borrow.
en, in, on, at, to, by, while, of, as a. (*Often best untranslated before a present participle*).
encaisser, to collect, receive.
enchanter, to delight.
encore, again, yet, still, further, too, furthermore, even, even so; — **un**, another.
encourager, to encourage.
endetter (s'), to get into debt.
enfant, *m. and f.*, child.
enfin, at last, finally, after all, well, and now, in short.
engagement, *m.*, pledge, promise; **prendre l'—**, to pledge oneself.
engager, to pledge, involve.
enjoindre, to enjoin, command.
enlever, to carry off.
ennuyer, to bore.
énorme, enormous.
enrichir, to enrich; **s'—**, to get rich.
ensemble, together.
entendre, to hear, listen, listen to, understand, please; **s'—**, to come to an understanding; — **parler**, to hear; **bien entendu**, of course; **Dieu vous entende!** God grant it!

enti-er, -ère, entire.
entourer, to surround.
entre, among, between, in.
entrée, *f.*, entrance.
entrer, to enter; — **dans,** *ib.*, enter into, interest oneself.
entrevue, *f.*, interview, conference.
envers, towards.
envie, *f.*, desire; **avoir —,** to feel inclined, desire.
envier, to envy.
envoyer, to send; — **demander** *or* **toucher,** to send for.
épargner, to spare.
épaule, *f.*, shoulder.
éperonner, to spur on, stimulate.
épicier, *m.*, grocer.
époque, *f.*, time.
épouse, *f.*, wife.
épouser, to marry.
époux, *m.*, husband; **les deux —,** husband and wife.
éprouver, to feel, experience.
équilibrer (s'), to find its level.
erreur, *f.*, error, mistake.
escompter, to discount.
espèce, *f.*, sort.
espérance, *f.*, hope, expectation.
espérer, to hope, hope for.
espoir, *m.*, hope.
esprit, *m.*, wit, intelligence.
essayer, to try, try on.
essuyer, to dry.
estime, *f.*, esteem.
estimer, to estimate, esteem.
établir, to establish, create.
étage, *m.*, story, floor, flight.
état, *m.*, state.
été, *m.*, summer.
étendre, to stretch out.
éternellement, forever.
étoffe, *f.*, material; **—s de robes,** dress-materials.
étonner, to astonish.
étrang-er, -ère, a stranger, nothing.
être, to be, there to be, have, go; — **à,** to belong to, be for, be at the service of; — **assez de,** to suffice; **c'est que,** in fact, the fact is, it is because, and that is.
être, *m.*, being.
étudier, to study.
évaluer, to estimate.
événement, *m.*, event.
évoquer, to call up.
exact, precise, prompt, punctual.
exactement, exactly.
exagérer, to exaggerate.
exaspérer, to exasperate.
excellent, excellent, worthy.
excepté, except.
excuse, *f.*, apology, extenuating circumstance.
excuser, to excuse, make excuses for.
exemple, *m.*, example; **par —,** for instance.
exigeant, particular, exacting.
expédier, to send, forward.
expliquer, to explain; **s'—,** to understand (*when "se" is indirect object*).
exprès, on purpose.

F

face, *f.*, face; **en — de,** facing.
facile, easy.
facilement, easily.
façon, *f.*, way.
facture, *f.*, bill.
faculté, *f.*, faculty, ability.
faible, weak.
faim, *f.*, hunger.
faire, to make, do, create, accomplish, have, cause, have effect, manage, carry on, reckon up, commit, take, strike; **se —,** to happen, take place; **qu'y —?** how can I help it? — **des affaires,** to have business relations; — **chaud,** to be warm; — **son chemin,** to make one's

way in the world; — **connaissance**, to get acquainted; — **dire**, to send word; — **des économies**, to save up; — **espérer**, to give hopes of; — **une figure** *or* **des figures**, to make wry faces; — **fortune**, to get rich; — **grimace**, to snap one's fingers; — **mal**, to hurt; — **naufrage**, to be shipwrecked; — **part de**, to impart, tell of; — **plaisir**, to please; — **signe**, to nod; — **la sourde oreille**, to turn a deaf ear; — **venir**, to send for; **ne — que**, to do nothing but, only; **ne — rien**, to make no difference; **bien fait**, all right; **tout fait**, ready-made; **fait pour**, fit to, meant to; **qu'est-ce que cela fait?** what difference does that make?
fait, *m.*, fact, point, question; **au —**, in fact.
falloir, to be necessary, must, be needed, take; **ne pas —**, ought not to, must not; **il faut voir**, you ought to see; **comme il faut**, well-bred, polished, fashionable; **il s'en faut**, far from it.
fameu-x, -se, great, wonderful.
familièrement, familiarly.
famille, *f.*, family.
fardeau, -x, *m.*, burden.
faute, *f.*, fault, sin.
fau-x, -sse, false.
féliciter, to congratulate.
femme, *f.*, woman, wife.
fendre, to split, break.
fer, *m.*, iron.
fermer, to close.
fertilisation, *f.*, fertilizing.
fête, *f.*, saint's day, name-day.
feu, -x, *m.*, fire.
feuilleter, to glance over.
fiancé, *m.*, fiancé, betrothed.
fi-er, -ère, proud.
fierté, *f.*, pride, spirit.
fièvre, *f.*, fever.
figure, *f.*, face.
figurer (se), to fancy.
fille, *f.*, daughter, girl, unmarried; — **à marier**, eligible girl; **vieille —**, old maid.
fils, *m.*, son; — **de famille**, young man of good family.
fin, *f.*, end; — **du mois**, at the end of the month.
fin, delicate, polite, shrewd.
financi-er, -ère, financial.
finir, to end, finish; **en —**, to come to an end; **en — avec**, to have done with, get through with.
fixer (se), to settle down.
flanquer, to put; — **à la porte**, to put out of the house.
flatt-eur, -euse, flattering.
fleur, *f.*, flower.
florentin, Florentine, of Florence.
fois, *f.*, time; **encore une —**, once more.
folie, *f.*, madness, nonsense.
force, *f.*, strength; *pl.*, *ib.*
forcer, to force.
forge, *f.*, iron-work; *pl.*, *ib.*
formel, -le, positive, explicit.
former, to form.
formule, *f.*, formula.
fort, strong, large; **plus — que**, too much for.
fort, very, hard.
fo-u, -l, -lle, mad, crazy.
fouiller, to search.
foule, *f.*, crowd, host, lot.
fournir, to supply.
fournisseur, *m.*, tradesman.
frais, *m. pl.*, expenses, costs.
franc, *m.*, franc (*the standard of French currency, 19.3 cents*).
franc, -he, frank, sincere.
Français, *m.*, Frenchman.
franchise, *f.*, frankness, sincerity

frère, *m.*, brother.
fripon, *m.*, rascal.
front, *m.*, forehead.
fuir, to run away from.
fumer, to smoke.
furieu-x, -se, furious.
futur, future.
future, *f.*, intended wife.

G

gagner, to make, earn, gain.
gai, gay.
gaieté, *f.*, gayety.
gaillard, *m.*, fine fellow.
gant, *m.*, glove.
garantie, *f.*, guarantee, protection.
garantir, to guarantee.
garçon, *m.*, boy, fellow.
garde, *f.*, care.
garder, to watch, keep.
gaspillage, *m.*, waste, squandering.
gâter, to spoil, corrupt.
gendarme, *m.*, policeman, constable.
gendre, *m.*, son-in-law.
gêner, to embarrass, inconvenience; **être gêné**, to be financially embarrassed.
générosité, *f.*, generosity.
génie, *m.*, genius.
genre, *m.*, kind, sort.
gens, *m. and f. pl.*, people, servants; **jeunes —**, young men.
gentil, -le, nice, kind, sweet.
gentiment, gracefully.
geste, *m.*, gesture.
gigantesque, gigantic.
gilet, *m.*, vest; **— de dessous**, undershirt.
Giraudière, de la; *an aristocratic-sounding name made from* "Giraud". *Cf.* Molière's "George Dandin", *A. I, sc. IV*, "De quoi y ai-je profité, . . . que d'un allongement de nom, et, au lieu de George Dandin, d'avoir reçu par vous le titre de Monsieur de la Dandinière?"
glacial, freezing.
glisser, to slip.
goût, *m.*, taste, liking.
goutte, *f.*, gout.
gouvernement, *m.*, government.
grâce, *f.*, grace, favor.
grand, big, great, old.
grandement, greatly, very.
grand-père, *m.*, grandfather.
grave, important, serious.
graveur, *m.*, engraver.
gredin, *m.*, scoundrel.
grimace, *f.*, grimace, face. (*Cf. faire.*)
gros, -se, big; **en —**, wholesale.
guerre, *f.*, war.
gueux, *m.*, rascal.

H

[' designates aspirate *h*]

habiller, to dress.
habit, *m.*, coat.
habiter, to live, live at, live in.
habitude, *f.*, habit.
habituer, to accustom.
'harnais, *m.*, harness.
'hasard, *m.*, hazard, chance; **au —**, at random.
'hâte, *f.*, haste; **à la —**, hastily.
'hausser, to shrug.
'haut, loudly.
'hein, humph!, doesn't it! is it?
héritage, *m.*, inheritance.
hériter, to inherit.
héritier, *m.*, heir.
hésiter, to hesitate.
heure, *f.*, hour, o'clock, time; **de bonne —**, early; **à cette —**, at the present moment.
heureusement, luckily.
heureu-x, -se, happy, glad, fortunate, felicitous.

hier, yesterday.
histoire, *f.*, story, affair.
hiver, *m.*, winter.
hommage, *m.*, homage; **mettre mes —s à vos pieds**, to pay you my respects.
homme, *m.*, man.
honnête, honest, worthy, honorable.
honneur, *m.*, honor; **avoir bien l'—**, to have the honor.
honorablement, honorably.
'hors, except.
'hors de, out of.
hôtel, *m.*, hotel; house (*occupied by one family only*).
humain, human.
humeur, *f.*, humor.
humilier, to humiliate.
hypothèque, *f.*, mortgage.

I

ici, here, now; **d'— là**, between now and then.
idée, *f.*, idea.
ignorant, *m.*, ignoramus.
ignorer, not to know.
île, *f.*, island.
imaginer, to think, devise.
immédiatement, immediately.
immensément, enormously.
implanter, to implant.
important, *m.*, important thing, main point.
important, important, large.
importer, to matter, make a difference; **peu importe**, no matter, or something of the sort.
importun, tiresome.
imposer, to impose.
imprimeur, *m.*, printer.
inappréciable, invaluable, beyond all praise.
inauguration, *f.*, opening.
inaugurer, to open.
inconnu, unknown.
inculte, uncultivated, waste.
indigne, unworthy.
indiquer, to point out.
industrie, *f.*, industry.
infamie, *f.*, shameful deed, shameful thing.
information, *f.*, inquiry.
informer (s'), to make inquiries.
ingénieu-x, -se, ingenious.
initier, to instruct, make familiar.
injuste, unjust.
inqui-et, -ète, uneasy.
inquiétant, alarming.
inquiéter (s'), to concern oneself.
inquiétude, *f.*, anxiety.
insister, to insist.
installer, to instal.
instant, *m.*, instant; **à l'—**, just now.
insuffisant, insufficient, inadequate.
insulter, to insult.
intendant, *m.*, steward, business-agent.
interdire, to forbid.
intéresser, to interest.
intérêt, *m.*, interest, self-interest.
intérieur, *m.*, interior.
interrompre, to interrupt.
intervenir, to mediate, act as go-between.
intriguer, to puzzle.
inutile, useless, in vain, unnecessary.
inventer, to invent.
invité, *m.*, guest.
inviter, to invite.

J

jadis, formerly.
jalou-x, -se, jealous.
jamais, ever, never.
jardin, *m.*, garden.
jardinier, *m.*, gardener.
jaune, yellow.

jeter, to throw; **se — au cou de**, to throw one's arms around the neck of.
jeune, young.
jeunesse, *f.*, youth.
joie, *f.*, joy.
joli, pretty, fine.
jouer, to play, stake, gamble, speculate; **bien joué**, a good trick.
jouissance, *f.*, enjoyment, possession.
joujou, **-x**, *m.*, toy.
jour, *m.*, day; **ces —s-ci**, one of these days, before long; **quinze —s**, a fortnight; **vieux —s**, old age.
journa-l, **-ux**, *m.*, paper.
journée, *f.*, day.
juger, to judge.
jurer, to swear.
jusqu'à, to, up to, clear to, till, to the point of.
jusque, up to.
juste, just, true.
justement, precisely.

L

là, there, here, in; **—-bas**, over there; **— -dessus**, thereupon, by that, on that subject; **— -haut**, up there.
lâchement, like a coward.
lâcheté, *f.*, act of cowardice.
laid, ugly.
laisser, to let, leave, leave alone; **— dire**, to let people say what they please.
lancer, to launch; **être lancé**, to be in the swim.
larme, *f.*, tear.
lasser, to tire; **se —**, to grow tired.
latéral, side.
laver, to wash.
leçon, *f.*, lesson.
légitime, legitimate.
lendemain, *m.*, next day.
lettre, letter; **— de change**, bill of exchange, draft.
lever, to raise; **se —**, to get up.
liaison, *f.*, love-affair, liaison.
libérer, to free; **se —**, to get rid of one's liabilities.
liberté, *f.*, liberty.
libre, free, at liberty, single; **de —**, to spare.
librement, freely.
lier, to bind.
lieu, **-x**, *m.*, place; **avoir —**, to take place; **au — de**, instead of.
lieue, *f.*, league (*about 2.4 miles*).
lilas, *m.*, lilac.
liquidation, *f.*, settlement.
lire, to read.
lit, *m.*, bed; **pas du même —**, not by the same mother.
littéralement, literally.
livre, *m.*, book.
livre, *f.*, livre (*old coin, nearly equivalent to the franc*, q. v.)
livrer, to give over.
loi, *f.*, law.
loin, far, distant, afar.
Londres, *m.*, London.
longtemps, long, a long time.
lourd, heavy.
loyal, straightforward.
loyalement, honestly.
loyauté, *f.*, straightforwardness, honesty.
lugubre, lugubrious, mournful.
lumière, *f.*, light.
lutte, *f.*, struggle.
lutter, to struggle.
luxe, *m.*, luxury.

M

madame, *f.*, madam, Mrs. (*Not to be translated before titles*, e.g. "madame la comtesse.")
mademoiselle, *f.*, miss, young

lady. (*Often best left untranslated, in direct address.*)
magnésie, *f.*, magnesia.
magnifique, magnificent.
main, *f.*, hand.
maintenant, now.
mais, but, indeed; — **non**, why no; — **oui**, why yes.
maison, *f.*, house, firm, establishment; — **de banque**, banking house.
maître, *m.*, master, owner.
maîtresse, *f.*, mistress.
ma-l, **-ux**, *m.*, evil, ill, harm, slander; **il n'y a pas de** —, it would do no harm.
mal, bad-looking.
mal, poorly, badly, wrong.
malade, ill.
maladroit, stupid, stupid fellow.
malentendu, *m.*, misunderstanding.
malgré, in spite of.
malheur, *m.*, misfortune.
malheureusement, unluckily.
malheureu-x, **-se**, unhappy, unfortunate.
malice, *f.*, trick.
mali-n, **-gne**, shrewd.
maman, mamma.
manger, to eat.
manière, *f.*, manner.
manquer, *tr.*, to miss, fail to carry through; *intr. with ind. obj.*, to miss, be missing, be lacking, break.
marchand, *m.*, dealer.
marché, *m.*, bargain, contract; **à bon** —, cheap, cheaply.
marcher, to walk.
mari, *m.*, husband.
mariable, eligible.
mariage, *m.*, marriage; — **manqué**, broken engagement.
mariée, *f.*, bride.
marier, to marry off; **se** —, to get married; **être marié**, to be married.
marne, *f.*, marl.
marque, *f.*, mark.
marquer, to show.
matériel, **-le**, material, physical.
matière, *f.*, matter, question.
matin, *m.*, morning.
mauvais, bad, poor.
mécanicien, *m.*, mechanist.
méchanceté, *f.*, malicious remark.
méchant, ill-natured, ill-meaning.
médecin, *m.*, doctor.
meilleur, better, best.
mêler, to mingle; **se** —, to concern oneself, trouble oneself.
même, same, even, very.
mémoire, *m.*, bill, account.
menacer, to threaten, be in danger of.
ménage, *m.*, household.
mener, to lead, take.
mentir, to lie.
mépris, *m.*, scorn.
merci, *m.*, thanks, thank you.
mercredi, *m.*, Wednesday.
mère, *f.*, mother.
mériter, to deserve.
merveille, *f.*, marvel; **à** —! splendid!
mesure, *f.*, measure; **à — que**, in proportion as.
métamorphoser, to metamorphose.
métier, *m.*, trade, profession.
mettre, to put, put on, put in, set; — **à la porte**, to put out of the house; — **au net**, to engross, make a fair copy of; — **dans l'impossibilité**, to make it impossible for; — **dedans**, to take in; **se — à**, to set to, begin; **se — en rapport**, to establish relations; **se — en tête**, to take it into one's head; **bien mis**, well-dressed.
meubler, to furnish.
midi, *m.*, noon.

mieux, better, the better, anything better; **de mon —**, my best.
milieu, -x, *m.*, middle, midst.
militaire, military.
ministère, *m.*, ministry, Department.
ministre, *m.*, minister, Secretary (*member of the Cabinet*).
misérable, *m.*, wretch, scoundrel.
misère, *f.*, poverty, trifle.
modèle, *m.*, model; **prendre —**, to model oneself.
modestement, modestly.
mœurs, *f. pl.*, customs.
moindre, slighter, less, slightest.
moins, less; **de —**, *ib.*; **n'en . . . pas —**, none the less; **de plus ou de —**, more or less; **le —**, the least; **au** *or* **du —**, at least; **à — que . . . ne**, unless; **. . . heures — . . .**, . . . of . . . o'clock.
mois, *m.*, month.
moitié, *f.*, half.
monde, *m.*, world, social set, society, people; **tout le —**, everybody; **voir le —**, to go into society.
monsieur, *m.*, Mr., sir, gentleman, you.
montagne, *f.*, mountain.
monter, to go up, climb.
montre, *f.*, watch.
montrer, to show, point at.
moquer (se), de, to make sport of, snap one's fingers at.
morale, *f.*, morals, ethics.
morceau, -x, *m.*, piece, tune.
mort, *f.*, death.
mot, *m.*, word, expression.
motif, *m.*, motive, reason.
mouchoir, *m.*, handkerchief.
mourir, to die; **se —**, to be dying.
mouvement, *m.*, movement.
moyen, *m.*, mean, means, way.
mûr, mature, of maturity.
musée, *m.*, museum.
mystère, *m.*, mystery.

N

naître, to be born.
naturel, -le, natural.
naturellement, naturally, of course.
ne, not; **— . . . aucun**, no, none; **— . . . guère**, scarcely; **— . . . jamais**, never; **— . . . pas**, not; **— . . . personne, personne —**, no one; **— . . . plus**, no longer; **— . . . plus que**, now . . . only; **— . . . plus rien que**, no longer . . . anything but; **— . . . que**, only; **— . . . rien, rien ne**, nothing.
nécessaire, necessary.
négliger, to neglect.
nerf, *m.*, nerve.
nettement, flatly, absolutely.
neveu, -x, *m.*, nephew.
nez, *m.*, nose.
ni, nor; **— . . . —**, neither . . . nor.
niais, silly.
noblesse, *f.*, nobility; **de —**, noble.
noce, *f.*, wedding; *pl.*, *ib.*
nom, *m.*, name.
nombreu-x, -se, numerous.
nommer, to name, appoint.
non, no, not, oh! **— pas**, oh no, no indeed, not at all; **— plus**, neither, either.
notaire, *m.*, notary, notary public.
notion, *f.*, idea, conception.
nouv-eau, -el, -elle, new, other; **nouvel enrichi**, one recently become rich; **de —**, anew, again.
nouvelle, *f.*, news.
nuance, *f.*, shade, fine distinction.
numéraire, *m.*, specie, cash.

O

obligeance, *f.*, kindness.
obliger, to oblige; **être l'obligé de**, to be under obligations to.
observation, *f.*, observation, comment.
obstination, *f.*, persistence.
obstiner (s'), to insist: **obstiné**, obstinate.
obtenir, to obtain.
occasion, *f.*, opportunity.
occuper, to occupy; **s'— de**, to concern oneself with, look after, undertake; **occupé**, busy.
œil, yeux, *m.*, eye.
œuvre, *f.*, work, deed.
officiellement, officially.
offrir, to offer.
oisiveté, *f.*, idleness.
oncle, *m.*, uncle.
opération, *f.*, operation, deal.
or, *m.*, gold.
or, now.
ordinaire, ordinary.
oreille, *f.*, ear.
orgueil, *m.*, pride.
orgueilleu-x, -se, proud, "stuck up".
original, novel.
orphelin, *m.*, orphan.
orthographe, *f.*, spelling; **sans —**, spelled badly.
oser, to dare.
ou, or; **— bien encore**, or again.
où, where, in which, on which, when, that.
oublier, to forget.
oui, yes.
ouvertement, openly.
ouvrier, *m.*, workman, journeyman.
ouvrir, to open; **s'—**, *ib.*

P

pain, *m.*, bread.
paisiblement, peacefully.
palais, *m.*, palace.
paletot, *m.*, overcoat.
pâlir, to make pale.
papier, *m.*, paper.
paquet, *m.*, package.
par, by, through, down, in, per, a, at.
paraître, to appear, seem.
parapluie, *m.*, umbrella.
parbleu, of course, by Jove.
parc, *m.*, park.
parce que, because.
par-devant, in the presence of.
pardonner, to pardon, forgive.
pareil, -le, such, similar.
parent, *m.*, relative.
paresse, *f.*, laziness.
parfait, perfect, fine.
parfaitement, perfectly.
parier, to wager.
Parisien, *m.*, Parisian.
parler, to speak.
parole, *f.*, word, promise, speech.
part, *f.*, part; **à —**, aside; **d'une —**, on the one hand.
partager, to divide.
parti, *m.*, match, suitor, course.
particuli-er, -ère, particular.
partie, *f.*, part, game.
partir, to leave, set out, come; **à — de . . .**, from . . . on.
partout, everywhere.
parvenu, *m.*, upstart, parvenu.
pas, *m.*, step.
pas, not; **— du tout**, not at all; **— de**, no.
passant, *m.*, passer-by.
passé, *m.*, past.
passer, to pass, pass on, go, fade; **— avant**, to take precedence of; **— chez**, to drop in to see; **— en revue**, to go over; **se —**, to happen, be laid; **se — de**, to do without; **passé**, over.
pâté, *m.*, pie.
patiemment, patiently.
patte, *f.*, paw; **coup de —**, slap.
pauvre, poor, dear.

pauvreté, *f.*, poverty.
pavé, *m.*, paving-stone.
pavillon, *m.*, pavilion, lodge.
payement, *m.*, payment, paying.
payer, to pay, pay for.
pays, *m.*, country.
pécuniaire, pecuniary, financial.
peine, *f.*, trouble; **à —**, scarcely; **être la —**, to be worth while.
pendant, *m.*, counterpart.
pendant, during, for.
pendant que, while.
pendre, to hang.
pendule, *f.*, clock.
pensée, *f.*, thought, idea.
penser, to think; **bien pensé**, a good idea.
pensi-f, -ve, thoughtful, reflective.
pension, *f.*, boarding-school.
perdre, to lose.
père, *m.*, father.
permettre, to permit.
perplexité, *f.*, perplexity.
personnage, *m.*, character.
personne, *f.*, person; *m.*, anyone, no one.
personnel, -le, personal.
personnellement, personally.
perte, *f.*, loss.
petit, little; **les petites**, the lower classes.
petit-fils, *m.*, grandson.
peu, little; **à — près**, nearly, almost.
peuple, *m.*, race, people.
peur, *f.*, fear; **avoir —**, to be afraid.
peut-être, perhaps.
phrase, *f.*, sentence.
pied, *m.*, foot.
pierre, *f.*, stone.
pis, worse, the worse.
place, *f.*, place, room, position.
placer, to invest.
plaider, to plead.
plaindre, to pity, commiserate; **se —**, to complain.
plaire, to please.
plaisant, *m.*, joker.
plaisanter, to jest.
plaisanterie, *f.*, pleasantry, jest; **quelle —**, what an idea!
plaisir, *m.*, pleasure.
plein, full; **en — juillet**, in the midst of July.
pleurer, to cry, weep.
pleuvoir, to rain.
pluie, *f.*, rain.
plus, more, plus; **de —**, furthermore, more; **au —**, at the most.
plusieurs, several.
plutôt, rather.
poche, *f.*, pocket.
poésie, *f.*, poetry.
poignarder, to stab.
poisson, *m.*, fish; **le — dans l'eau**, "a clam at high tide."
poli, polite.
poliment, politely.
pont, *m.*, bridge.
port, *m.*, carrying; **— de lettres**, postage.
porte, *f.*, door, gate.
portefeuille, *m.*, pocketbook, portfolio.
porter, to carry, bring, take effect, wear; **se —**, to be (*of health*).
portier, *m.*, porter.
poser, to place.
positivement, positively, precisely.
posséder, to own.
possesseur, *m.*, owner.
possibilité, *f.*, possibility.
possible, possible; **tout mon —**, my best.
poste, *f.*, post-office; **— restante**, general delivery.
poupée, *f.*, doll.
pour, for, to, on, for the sake of, in order to, in the eyes of; **— 100**, percent.
pour que, in order that, that, for . . . to be.

pourquoi, why.
poursuite, *f.*, pursuit.
poursuivre, to pursue.
pourtant, yet, however.
pourvu que, provided that.
pousser, to push, utter.
pouvoir, can, be able, may; **ne — rien**, can do nothing; **il se peut**, it may be.
pratique, practical.
précis, precise, exactly.
préférer, to prefer.
préfet, *m.*, prefect (*officer at the head of a department*).
premi-er, -ère, first, chief.
prendre, to take, get, catch, seize, make, follow; **se — à**, to manage, contrive, set about; **— des arrangements**, to compound; **— en affection**, to take a liking to; **— garde**, to look out.
préparatif, *m.*, preparation.
préparer, to prepare; **se —**, to get ready.
près de, near, nearly, with.
présent, *m.*, present; **à —**, now.
présenter, to introduce; **se —**, to turn up.
presser (se), to hurry; **pressé**, in a hurry, urgent.
prêt, ready.
prêter, to lend, attribute.
prêteur, *m.*, lender.
preuve, *f.*, proof.
prévenir, to inform, notify, forewarn.
préventi-f, -ve, anticipatory.
prévoir, to foresee, anticipate.
prier, to request, beg; **en —**, to beg.
prière, *f.*, prayer, entreaty.
principauté, *f.*, principality.
principe, *m.*, principle.
priver, to deprive.
prix, *m.*, price; **sans —**, priceless, invaluable.
probablement, probably.
probité, *f.*, honesty.
procédé, *m.*, method.
procès, *m.*, lawsuit.
prochain, next, coming.
procurer, to procure, obtain.
produire, to produce, yield; **se —**, to come forward.
profiter, to profit, be of advantage.
projet, *m.*, project.
projeter, to project.
promenade, *f.*, promenade, walk, drive; **c'est une — pour vos chevaux**, it's only exercise for your horses.
promener (se), to walk, drive.
promesse, *f.*, promise.
promettre, to promise.
promptement, promptly, quickly.
prononcer, to pronounce, utter; **— sur**, to decide.
propos, *m.*, talk; **à —**, by the way.
proposer, to propose.
propre, own.
propriétaire, *m.*, owner, landlord, land-owner.
propriété, *f.*, property.
protéger, to protect; **être protégée par**, to be a protégée of.
prouver, to prove.
pruderie, *f.*, prudishness.
publier, to publish.
puis, then, afterwards.
puisque, since.
puissance, *f.*, power.
punition, *f.*, punishment.

Q

qualité, *f.*, quality, title, status, capacity.
quand, when.
quant à, as to.
quantité, *f.*, quantity.
quart, *m.*, fourth, quarter of an hour.

que, that, than, as, except, but, how, until, because.
quel, -le, which, what, what a, who.
quelconque, whatsoever.
quelque, some, any; *pl.*, a few; — . . . **que**, whatever.
quel, -le que, whatever.
quelquefois, sometimes.
quelqu'un, anyone, someone.
querelle, *f.*, quarrel.
question, *f.*, question, problem.
queue, *f.*, stems.
qui, who, whom, which; — **que ce soit**, anyone whomsoever.
quinzaine, *f.*, about fifteen; **une — de jours**, about a fortnight.
quitte, quits.
quitter, to leave.
quoi, what; — **que**, whatever; — **que ce soit**, anything at all.
quotidien, daily.

R

racheter, to buy back, redeem.
raconter, to tell, talk about.
raie, *f.*, part (*of the hair*).
raison, *f.*, reason; **avoir —**, to be right.
raisonnable, reasonable.
raisonnement, *m.*, reasoning.
ramener, to bring back.
râpé, threadbare, shabby.
rapin, *m.*, dauber, poor painter.
rappeler, to recall; **se —**, *ib.*, remember.
rapport, *m.*, revenue, relation, report; **sous le — de**, as far as . . . is concerned; **sous plus d'un —**, in more than one respect.
rapporter, to bring back, bring in.
rattraper, to recoup; **se —**, *ib.*
rayer, to strike out.
réaliser, to realize, convert into money.
recevoir, to receive.
rechercher, to seek.
réciproque, mutual.
réclamer, to demand, request.
reconduire, to drive back, accompany.
reconnaissance, *f.*, gratitude.
reconnaissant, grateful.
reconnaître, to recognize.
reçu, *m.*, receipt.
redevenir, to become again.
redevoir, to owe still.
rédiger, to draw up.
redonner, to give again.
réellement, really.
refermer, to close again.
réfléchir, to reflect.
réfugier (se), to take refuge.
refus, *m.*, refusal.
refuser, to refuse.
regarder, to look, look at, concern; — **si**, to look to see if.
régler, to settle; **se —**, to govern oneself.
regretter, to regret.
régulariser, to make regular, make a regular entry of.
régulier, regular, exact.
rejeter, to cast; — **loin de soi**, to spurn.
rejoindre, to join, rejoin.
réjouir, to rejoice; — **les yeux**, to be a delight to behold.
relati-f, -ve, relative.
relation, *f.*, relation, connection.
relever, to raise; **se —**, to get up again.
relier, to bind; — **connaissance**, to renew acquaintance.
remercier, to thank; **pour vous —**, to decline your offer with thanks.
remettre, to put again, deliver, hand over, entrust, postpone; **faire —**, to send in.
remplaçant, *m.*, substitute.
remplacer, to replace.
remplir, to fill, play.

rencontrer, to meet.
rendez-vous, *m.*, appointment.
rendre, to return, repay, give back, render, make; **se —**, to go, come; **— la parole à**, to release one from his promise; **— visite à**, to call on.
renfermer, to contain.
renoncer, to renounce; **— à**, *ib.*
renouveler, to renew.
renseignement, *m.*, information; *pl.*, *ib.*
rente, *f.*, income.
rentrer, to go in again, go home, come in; **— dans**, to get back.
renvoyer, to send again, dismiss, send away.
répandre (se), to be spread abroad.
reparaître, to appear again.
réparer, to correct.
répéter, to repeat.
réplique, *f.*, reply, answer.
répondre, to answer; **— pour**, to answer for, assume the liabilities of.
réponse, *f.*, answer, result.
reposer, to rest.
reprendre, to take again, take back, resume.
représenter, to represent, typify.
reproche, *m.*, reproach.
reprocher, to reproach.
résolument, resolutely.
ressembler (à), to resemble.
ressource, *f.*, resource; *pl.*, means.
reste, *m.*, rest, remainder; **du —**, moreover, for that matter.
rester, to remain, stay, be left.
résultat, *m.*, result.
résulter, to result, follow.
résumé, *m.*, summary.
rétablir, to put in order again.
retard, *m.*, delay; **en —**, behindhand.
retenir, to hold back, detain.
retirer, to draw off; **se —**, to withdraw, leave.
retour, *m.*, return; **de —**, back.
retourner, to return; **s'en —**, *ib.*; **se —**, to turn around, aside.
retrouver, to find, find again, meet, see.
réussir, to succeed.
réveiller (se), to wake up.
revendre, to sell again.
revenir, to return, come back; **il va revenir**, he will be back in a few minutes; **— à**, to cost, come to; **— sur**, to retrace, come back at.
revenu, *m.*, revenue, income.
rêver, to dream.
revoir, to see again; **au —**, good-bye, good-day.
revue, *f.*, review, inspection.
riche, rich.
richesse, *f.*, wealth, sumptuousness.
ridicule, *m.*, absurdity.
ridicule, ridiculous.
rien, anything, nothing; **— que ça**, that's all; *ib.* ! is that all !
rigidité, *f.*, strictness.
rire, to laugh.
rire, *m.*, laugh.
risque, *m.*, risk.
rive, *f.*, bank, shore.
rivière, *f.*, river, necklace.
robe, *f.*, dress, gown.
rôle, *m.*, rôle, part.
rompre, to break, break off.
rose, pink.
rougir, to blush.
route, *f.*, road; **en —**, on the way.
ruban, *m.*, ribbon.
rue, *f.*, street.
ruiner, to ruin.
rupture, *f.*, break, breaking off.
Russie, *f.*, Russia.

S

sacrifier, to sacrifice.
sage, wise, good.
sainement, sanely, dispassionately.

salon, *m.*, drawing-room, parlor.
saluer, to bow, bow to, salute, say good-day to; **Je vous salue**, Yours truly.
sans, without, but for; — **cela**, otherwise.
sans que, without.
santé, *f.*, health, constitution.
sauf, apart from.
sauter, to blow up.
sauvegarder, to protect, spare.
sauver, to save; **se** —, to run away.
savoir, to know, know how, learn, find out.
scandale, *m.*, scandal.
scélérat, *m.*, scoundrel.
séance, *f.*, meeting.
seconde, *f.*, second.
secrétaire, *m.*, secretary.
seigneur, *m.*, lord.
sellier, *m.*, harness-maker.
selon, according to.
semaine, *f.*, week.
semblable, like, similar.
semblant, *m.*, pretence.
sembler, to seem; **comme bon vous semble**, as seems best to you, as you please.
semelle, *f.*, sole.
sens, *m.*, sense.
sensé, sensible.
sensibilité, *f.*, sensibility.
sentiment, *m.*, feeling.
sentir, to feel, be aware.
séparer, to separate; **se — de**, to part with.
sérieu-x, **-se**, serious, important, real; **est-ce —?** are you in earnest?
serrer, to press; — **la main**, to shake hands.
servir, to serve, be of use, wait on; — **à**, to be of use; **se — de**, to make use of, employ.
serviteur, *m.*, servant.
seul, alone, single, only, solely.
seulement, only, even.
si, if, whether, suppose.
si, so, yes; — **peu que**, however little.
Sicile, *f.*, Sicily.
siècle, *m.*, century, age.
signature, *f.*, signing, signature.
signer, to sign.
signifier, to mean.
silencieusement, silently.
siliceu-x, **-se**, silicious.
simplement, simply.
sitôt, so soon; **de** —, very soon.
société, *f.*, society, company, set; — **anonyme**, stock company.
sœur, *f.*, sister.
soigner, to care for, look after.
soir, *m.*, evening.
soirée, *f.*, evening.
soit, very well, so be it.
sol, *m.*, soil.
soldat, *m.*, soldier.
soleil, *m.*, sun, sunlight.
solidarité, *f.*, community.
solide, firm.
somme, *f.*, sum; **en** —, after all.
sonner, to ring.
sort, *m.*, fate, lot.
sorte, *f.*, sort; **de — que**, so that.
sortir, to go out, get out, extricate oneself; **en** —, to give them up.
sot, *m.*, fool.
sottise, *f.*, foolish thing.
sou, *m.*, cent.
souci, *m.*, care.
soufflet, *m.*, slap.
souffleter, to slap.
souffrir, to suffer, permit.
souhaiter, to desire.
soulier, *m.*, shoe, low shoe.
soumettre, to submit; **être soumis à**, to depend on.
soupçonner, to suspect.
souper, to sup, get a supper.
soupir, *m.*, sigh.
sourd, deaf.
sourire, *m.*, smile.

sous, under, in.
souscrire, to sign, draw.
souvenir (se) de, to remember.
souvenir, *m.*, memory, memento.
souvent, often.
souveraineté, *f.*, sovereignty.
spirituel, -le, witty.
subalterne, *m.*, subordinate.
subir, to endure.
successeur, *m.*, successor.
suer, to sweat.
suffire, to suffice, satisfy.
suffisant, adequate.
suite, *f.*, series, succession; **à la — de**, after; **et ainsi de —**, and so on; **par — de**, in consequence of.
suivant, following.
suivre, to follow.
sujet, *m.*, subject; **à mon sujet**, in regard to me.
supérieur, superior.
supériorité, *f.*, superiority.
supplier, to entreat; **en —**, *ib.*
supporter, to undergo.
supposer, to suppose; **je suppose** (*parenthetical*), let's say.
supprimer, to suppress.
sûr, sure, safe.
sur, on, about, from, out of, against.
surexciter, to overexcite.
surlendemain (le), two days later.
surtout, especially.
surveiller, to watch.
sympathie, *f.*, interest.
système, *m.*, system.

T

tableau, -x, *m.*, picture.
tailleur, *m.*, tailor.
taire (se), to keep silence, hold one's tongue.
tandis que, while.
tant, so many, so much.
tante, *f.*, aunt.
tantôt . . . —, now . . . now.
taper, to tap.
tapissier, *m.*, upholsterer, decorator.
tard, late.
tas, *m.*, lot.
tâter, to feel; **— de**, to try.
taux, *m.*, figure, rate.
tel, -le, such.
témoignage, *m.*, mark.
témoin, *m.*, witness.
temps, *m.*, time; **au — où nous sommes**, nowadays; **avoir le —**, to have plenty of time; **par le — qui court**, as times go.
tendre, to hold out, offer.
tenir, to hold, keep, get; **— à**, to insist, insist on, be anxious; **à quoi s'en —**, what to think; *ib.* **sur sa position**, how she stands; **tenez**, here, see here, for instance; **tiens!** hello!, why! well!
tentative, *f.*, attempt, effort; **—s vers la fortune**, efforts to make money.
tenter, to try, attempt.
terme, *m.*, expression.
terminer, to conclude, finish, end; **se —**, *ib.*
terre, *f.*, earth, land, ground, estate.
terriblement, terribly.
tête, *f.*, head.
thé, *m.*, tea.
timbre, *m.*, stamp.
tirailleur, *m.*, skirmisher.
tirer, to draw, take out.
tiroir, *m.*, drawer.
titre, *m.*, title, name.
toit, *m.*, roof.
tomber, to fall.
tort, *m.*, wrong; **avoir —**, to be wrong.
tôt, soon.
totalité, *f.*, total amount.

toucher, to touch, draw, draw one's money, say; — **à**, to be in touch with.
toujours, always, forever, still, in any case.
tour, *m.*, tour, turn; **faire le — de**, to go around.
tourner, to turn.
tout, *m.*, all, everything; **du —**, at all.
tout, all, any; **tous les deux**, both.
tout, quite, very, perfectly; — **à coup**, suddenly; — **à fait**, entirely; — **à l'heure**, just now, presently; — **à vous**, cordially yours; — **de suite**, immediately; — **en**, while, although. ("Tout" *is often best left untranslated before participial phrases beginning with* "en").
train, *m.*, rate.
traîner, to drag, lie about.
traiter, to treat, discuss.
tranquille, in peace, easy; **sois** *or* **soyez —**, don't worry.
tranquillement, quietly, in peace.
tranquilliser (se), to be easy.
tranquillité, *f.*, tranquillity, freedom from anxiety.
transporter, to transport, move.
trav-ail, -aux, *m.*, work, report.
travailler, to work.
travailleur, *m.*, worker.
traverser, to go through.
très, very, greatly.
tribunal, *m.*, court.
tribut, *m.*, tribute.
triste, sad.
tromper, to deceive; **se —**, to be mistaken, make a mistake.
trop, too, too much.
trousseau, -x, *m.*, trousseau, wedding outfit.
trouver, to find; **se —**, to find oneself, be, be in the company of, meet, turn out; **se — bien de**, to be satisfied with; **aller —**, to go to see; **comment trouvez-vous?** what do you think of?
tuer, to kill.
tyrannie, *f.*, tyranny.

U

un, one, a; **les —s**, some.
unique, sole.
unir, to unite.
usage, *m.*, use.
user, to wear out; — **de**, to make use of.
usine, *f.*, factory.
usurier, *m.*, usurer.
utile, useful.
utiliser, to make use of.

V

vaincre, to conquer.
vaisseau, -x, *m.*, vessel.
valet, *m.*, valet, body-servant.
valeur, *f.*, worth, value, security.
valoir, to be worth; — **mieux**, to be better; — **la peine**, to be worth while.
vanter (se), to boast.
végéter, to vegetate.
veille, *f.*, eve, day before.
vendeur, *m.*, seller.
vendre, to sell, sell at.
venger, to avenge.
venir, to come, occur; — **à**, to happen, be; **à —**, future; **viens**, *etc.*, **de**, have just; **venais**, *etc.*, **de**, had just; **ce que vient faire**, the object of the visit
vent, *m.*, wind.
vente, *f.*, sale.
verbe, *m.*, verb.
véritable, true, real.
vérité, *f.*, truth.
vers, towards, to.

vertu, *f.*, virtue.
veuf, *m.*, widower.
veuve, *f.*, widow.
vie, *f.*, life.
vie-ux, -il, -ille, old.
vilain, ugly, bad, vile.
vin, *m.*, wine.
vingtaine, *f.*, score, some twenty.
violette, *f.*, violet.
vis-à-vis de, towards, to.
visite, *f.*, call, visit.
visiter, to call on, see.
vite, quickly.
vivre, to live.
vœu, -x, *m.*, vow.
voguer, to sail.
voici, here is *or* are.
voie, *f.*, track.
voilà, there is *or* are, here is *or* are, that is; **— de ces,** those are.
voir, to see, consider; **voyons,** let's see, come.
voisin, *m.*, neighbor.
voiture, *f.*, carriage.
volcan, *m.*, volcano.
voler, to rob, steal.
voleur, *m.*, thief, robber.
volontairement, voluntarily.
vouloir, to wish, will, insist on; **— absolument,** to insist; **— bien,** to be willing, be kind enough, like, wish; **ne — pas absolument,** to be absolutely unwilling; **— dire,** to mean; **je ne veux pas de,** I won't have; **que voulez-vous!** what would you have! **si . . . veut,** if . . . will have it; **en — à,** to be vexed with.
voyage, *m.*, journey, voyage; **en —,** traveling.
voyager, to travel.
vrai, true, real, regular; **être dans le —,** to be right.
vraiment, really.
vraisemblable, probable, plausible.
vue, *f.*, view, sight, glance, intention.

W

wagon, *m.*, railroad-car.
whist, *m.*, whist, game of whist.

Y

y, there, to it *or* them, of it *or* them, on it *or* them, about it, by it.